小説 弱虫《よわむし》ペダル

1

原作
渡辺航
ノベライズ
輔老心

岩崎書店

弱虫ペダル① 目次

登場人物《とうじょうじんぶつ》

今泉俊輔《いまいずみしゅんすけ》

自転車競技《きょうぎ》に命をかける、毎日ストイックに走り続ける高校一年生。中学時代は県内でも有名なレーサーだった。

小野田坂道《おのださかみち》

アニメ研究会に入ることを夢《ゆめ》見て入学。ママチャリで往復《おうふく》九十キロの秋葉原への道のりを毎週欠かさず通う高校一年生。

寒咲　幹《かんざき　みき》

ロードレースに夢中《むちゅう》の高校一年生。実家が自転車ショップで、自転車のことにもくわしい。

鳴子章吉《なるこしょうきち》

自転車と友だちを大事にする関西出身のレーサー。赤い髪と鋭い目つきで、目立つことが大好き。浪速《なにわ》のスピードマンの異《い》名《みょう》を持つ。

これから読者になってくれるキミたちへ

自転車に乗ってますか？

どんな自転車に乗ってるのだろう？


この物語の主人公・小野田坂道は、なんとママチャリで往復《おうふく》九十キロの秋葉原へ小学校四年生のときから通っていました。

アニメとゲームが大好き。

友だちもいないし、運動神経《しんけい》ゼロ！

そんな坂道が、ひょんなことから入学した高校の自転車競《きょう》技《ぎ》部《ぶ》へ入ることに。


だから、がんばる！

自分のために、友だちのために。


そんな坂道と自転車に乗ってペダルを回してみよう！

きっと世界が、キミの気持ちがどんどん変わっていくはずですよ！

原作者　渡辺《わたなべ》 航《わたる》

CREDIT LYONNAIS

本書は、秋田書店刊の『弱虫ペダル』をもとに小説化したものです。文章化するにあたり、台詞など一部改めています。

第一章　激坂《げきさか》

小野田坂道《おのださかみち》、いざアニメ研究会へ！

「母さん、行ってくるねーー!!」

家を飛び出すと白いママチャリにまたがって、さっそうと西へ走りだした。

高くなりつつある朝日が、せなかをてらしているので、ペダルをこぐ自分のかげが前にのびている。


いつもよりかげが大きく見えるのは、新しい制服《せいふく》のせいだ。

「どうせもっと体が大きくなるんだから」

母が選んだサイズはちょっと大きめで、まだ着なれないせいかぎこちない。


ヒーメ、ヒメ～♪

鼻歌《はなうた》も快調《かいちょう》に自転車をこいでいるのは小野田坂道、十五歳《さい》。きのうから晴れて高校生になったばかりだ。

千葉県の房総《ぼうそう》半島北部の小高い山にある、県立総北高等《そうほくこうとう》学校に入学し、きょうは高校生活二日目。満開の桜並木《さくらなみき》を通りぬけて、坂を登ると、校門が見えてきた。

自転車置き場に愛車をとめて、階段をかけあがった。坂道のクラスの一年四組の教室は四階にあるのだ。

南向きの教室のまどから、遠くに目を向ければ、川と田んぼ、国道、そして向こうの山までが見わたせた。時おり、春風をはらんだカーテンがふわりとゆれる。

ながめがいいわけは、校舎《こうしゃ》がおかの上にポツンと建っているからだ。

坂道にとって、この学校のいいところは、家から行くよりも、

秋葉原（アキバ）に近いこと。坂道にとってアキバは「いやし」と「最新」が混在《こんざい》する最高の街《まち》。フィギュア、最新DVDゲーム、キャラクターグッズ、ガッシャポン*だって旧版《きゅうばん》から新版《しんばん》まで完全にそろってるし、だれよりもそれを先に手に入れる快感《かいかん》は、あの街で得られるのだ。

きょうももちろん、学校の帰りに向かうつもりだった。

キーンコーンカーンコーン、キーンコーンカーンコーン♪

チャイムの音が校内にひびきわたった。

坂道にはそれが新しい生活のはじまりの音のように聞こえた。

新学期最初のホームルームの時間が始まった。みんな緊張《きんちょう》した顔をしている。それはそうだ。きのうまで知らない者同士だったんだ、当然だろう。友だちができるかなあ、と坂

＊ガッシャポン：カプセルトイのこと

道はちょっと不安だった。

担任《たんにん》の男の先生の話が始まった。

「きみたちはきょうから総北《そうほく》高校の生徒です。その自覚をもって、三年間、友だちを作り、勉学にはげんでください。そして、人としての基礎《きそ》を作る、この大切な時間を有意義《ゆういぎ》にすごしてください。それから、入学式のあとにわたした進路希望のプリント、放課後までに提出《ていしゅつ》するように」

そして、最後にこうつけくわえた。

「わが校は、部活がさかんだからな、どこに入るか決めておくように！」


ホームルームが終わった。

「部活かあー」

坂道は思わずつぶやいた。そして、カバンをしょって、どやどやとさわがしいろうかに出た。

目指すは入りたい部活の部室だ。坂道は入る部活動をずっと前から決めていた。

それは「アニ研」こと、アニメ研究会。

アニメが大好きな坂道は、アニメ好きな友だちを作って、思うぞんぶん、アニメの話でもりあがりたい！　そう思って、この高校に入学してきたのだ。

とくにアニメ、『ラブ☆ヒメ』のオープニングのテーマソング『恋《こい》のヒメヒメぺったんこ』がお気に入り。「最高なんだよな」と自転車をこぎながら、いつも聞いているくらいだ。

だけど、中学のときはアニメ好きであることがバレないようにしていた。でも、きょうからは、もう本当の自分をかくさなくていいんだ！

この学校は中学よりも都会にあるから、ボクと同じくらいアニメ好きな人がきっといるはずだ。アニメ好きの仲間を作って、いっしょにアキバに行ったら、楽しいだろうなあ！

そんなことを考えながら、わくわくして、ろうかを歩いていると、ドン！　となにかにぶつかった。

すってんころりん。

メガネがカラーンと音をたてて、ゆかにころがった。

「おいっ、気をつけろよ、新入生！」

「す、すいません、すいません」

坂道はすぐにあやまった。

「おまえ……、部活は決めたのか？　柔道部《じゅうどうぶ》に入らないか？」

低くて太い声が聞こえた。

「え？」

ゆっくり顔を上げると、冷蔵庫《れいぞうこ》のように体がでかい三年生が、坂道を見下ろしている。

「えーっと、えーっと……」

「いい体、してんな」

「え？　ボクですか？」

そう思ったのは坂道のかんちがい。かれは坂道にぶつかったことに気がつかず、ほかの新入生にスカウトの声をかけていたのだった。

ドン！

三年生は、坂道のかたをつくと、どこかへ行ってしまった。

「ふぅー、運動部はらんぼうだなあ。声が大きいんだよ、びっくりするんだよ。レンズがわれなくてよかったよ」

坂道はひやあせをぬぐい、立ちあがってメガネをひろった。そして、シャツのすそでキュッキュッとふいてかけなおし、ふたたび歩き始めた。

坂道がぶつかられるのもむりはない。

新入生をむかえたばかりの校内は、サッカー部やバスケットボール部など、いろんな部の二、三年生が、一人でも多くの新入部員を自分の部に入れようと勧誘《かんゆう》していて、たくさんの人でごったがえしているからだ。

野球部・サッカー部・バスケットボール部・ラグビー部・ハンドボール部・剣道《けんどう》部・柔《じゅう》

道《どう》部・空手《からて》部・応援団《おうえんだん》。はたまた、吹奏楽《すいそうがく》部・映画《えいが》研究会・茶道《さどう》部・演劇《えんげき》研究会……。

坂道は運動部にだけはぜったいに入らないぞ、と思いながら歩いていたが、つぎからつぎへとわたされる勧誘のチラシで、両手はあっという間に紙の山になってしまった。

それなのに、お目当てのアニメ研究会のチラシがもらえない！

部活のしおりにはちゃんとのっていたのに、おかしいなあ。なにかの手ちがいだろうと、坂道は直接《ちょくせつ》、部室へ行ってみることにした。

はじめて歩く校内は、まるで迷路《めいろ》だ。教室がたくさんあるし、先生の研究室もある。

キョロキョロしながら歩いていくと、ようやく古ぼけたドアが見えてきた。

「あったあった、ここだ！」

しかし、そこはなんだか、シーンとしずまりかえっていて活気がない。

そして、ドアには、こんなはり紙がしてあった。

アニメ研究会は、部員数がへったため、休部中。
新しく部を始めるには、
部員五名と、先生一名が必要です。

「な、な、な、なんだって！　そんなぁーーー」

坂道はドアをドンドンとたたいて、さけんだ。

まさかの、休部！　なんてついてないんだ！

ああ、アニメ研究会に入ることを、心の底から楽しみにしていたのに……。

高校生活のいちばんの楽しみだったのに……。

上級生にぶつかって、どなられるし、アニメ研究会は休部だし、ああ、ボクの高校生活は最悪のスタートだ！

坂道はがっくりとうつむいて、立ちあがる元気もなかった。

そこへ二人の女子生徒が通りかかった。一人は髪《かみ》の毛が長くて目が大きくて、もう一人は茶髪《ちゃぱつ》で活発そうな子だ。

二人がアニメ研究会の休部のはり紙に気がついた。

「あら、部活のしおりにはのってるのに、つぶれちゃった部もあるんだね」

「ああ、たしかにアニ研、のってたね」

「アニ研」という言葉が聞こえてきたので、坂道は二人に向かって話しかけた。

「もしかしたら、キミたちもアニ研入部希望者⁉ 見てよ、このはり紙、休部だよ。残念だよね。でも、五人集めれば、再開《さいかい》する可能性《かのうせい》もあるみたいだよ。いっしょに希望者を集めよう！ そして、復活《ふっかつ》させようよ‼ みんなで学校帰りにアキバに行ったりしよう！」

坂道は一気にまくしたてた。

「えええ、なに……」

女子生徒たちはギョッとして、坂道をまじまじと見ている。

ドン引きだ。

「あ、ちがいましたか、ちがいますよね。アニ研の入部希望者じゃないですよね。すみません、ははは。つい、コーフンしちゃって」

坂道が必死にあやまると、髪《かみ》の長い女子生徒がもうしわけなさそうに言った。

「わたしたちはちがうの。ただ通りかかっただけ。かのじょはテニス部で、わたしは自転車競技部《きょうぎぶ》が希望なの……」

坂道はうなだれて、小さな声で言った。

「えっ、運動部ですか……それじゃあ、ちがいますすね」

坂道はがっかりして、しょんぼりした。

二人は、その場をはなれながら、なにやら話している。

「いっやあ、ちょっとへんだったね、今の男子。ああいうのが、
アキバとかに行くんだよね、学校帰りに！」
茶髪《ちゃぱつ》の女子生徒がそう言っているのが、坂道の耳に聞こえた。
全部まる聞こえですよー。たしかにアキバに行きますけどね。
坂道は消えいるような声でぼそぼそとつぶやいた。
「ん？　今、アキバに行くって、言った？」
髪の毛の長いほうが、なにかに気がついたような表情《ひょうじょう》になった。
そして、ふりかえって、坂道に向かってさけんだ。
「アキバに行くんだったら早くしないと、
学校から出る駅行きのバス、なくなっちゃうよ！
二時半のつぎは三時だから！」

その声に坂道はおどろいた。

えっ、ボクに言ってくれてるの？

ボクのこと心配してくれてるんですか⁉

「だいじょうぶです。ボクには自転車があるから！」

中学時代、ろくに女子としゃべったことがなかった坂道はうれしくなって、思わずさけんだ。

ボクのバスの時間を心配してくれるような、やさしい人がいるなんてうれしい、と坂道が感動していると、「はあ？　自転車で？　なに言ってんの」と茶髪《ちゃぱつ》のほうがあきれて言った。

やがて二人はどこかへ歩いていった。

そのせなかを見送りながら、坂道はハッとわれに返った。

そうだ、きょうは学校が終わったら、自転車をこいでアキバに行くんだった。

ボクは小学四年生からアキバに毎週、通っているんだ。こんなところでぐずぐずしていられない。

そして、もう一度、はり紙をながめた。

きょうは初日だから、たまたまアニメ研究会に人が集まらなかっただけかもしれない。

あと四人、入部希望者を見つけられたら、あとは顧問《こもん》をさがして、アニメ研究会を再開《さいかい》すればいいんだ。日にちがたてば、五人ぐらいは集まるだろう。希望をすてるな！

さあ、クヨクヨしてないで、アキバへ行こう！

坂道の目がらんらんとかがやいてきた。

「決心！　ボク、小野田坂道は、アニメ研究会を立て直します！」

だれに言うでもなく、坂道はちかった。

「いつかこのドアをあける！　それまでまってて！」

そう言い残してドアの前をはなれ、自転車置き場に向かって歩き出した。

坂道と今泉《いまいずみ》の出会い

そのころ、するどい目つきのきびしい表情で、男子更衣室《こういしつ》に向かう新入生がいた。

身長は百八十センチくらいあるだろうか。スラリと飛びぬけた長身のイケメンだから、遠くからでもよく目立つ。中学時代から自転車レースの選手として名をとどろかせている今泉俊輔《しゅんすけ》だ。自転車の世界ではちょっと有名な存在《そんざい》で、坂道と同じ一年生。

この高校を選んだのも自転車競技部《きょうぎぶ》があるからだった。

主将《しゅしょう》には、入部することは話してあるから、自転車競技部へのあいさつは、あとでいいだろう。入部届《とどけ》だけは出しておこう。オレはこの高校の自転車競技部に入って、全国大会

に出て、あいつと戦わなければならないんだ。

そんなことを考えていると、ひとり言が口をついて出た。

「京都伏見《ふしみ》高校の御堂筋《みどうすじ》アキラ……」

中学のとき、オレにあれだけ差をつけて優勝したヤツ。オレは準《じゅん》優勝だった。どんなにくやしい思いをさせられたことか。

「あいつと一番早く戦えるのは、つぎのインターハイか……。待ってろよ、御堂筋！」

更衣室で制服《せいふく》をぬいで、引きしまった体をサイクリングジャージに包んだ今泉は、あざやかなブルーの競技用自転車をひょいとかたにかついで部屋の外へ出た。そして、裏門《うらもん》の前まで歩いていくと、地面に自転車を置いた。

ザ
DURA-ACE
XTR
SHIMANO

きょうの練習はここからスタートしよう。それにしても、この学校は練習するのに、いい環境《かんきょう》にあるなあ。山もあるし、ちょっと下れば平地で直線も多いから、山岳《さんがく》もスプリントも練習できるなんて。

今泉はヘルメットをかぶり、「よし」と気合いを入れて自転車にまたがった。すると、となりから「よーし」と、楽しそうな声が聞こえてきた。

「ん？　どうして、こんなヤツが？」

さっき今泉の前を、ママチャリをおしながら歩いていた男子生徒のようだ。

「おお、おいおい、おまえ、だれ？」

今泉が思わず、たずねた。

「あっ、ボクは一年四組の小野田坂道です」

「え？　坂道？　ヘンな名前だなあ」

「そうですか？　逆境《ぎゃっきょう》に強くなるように、と親がつけてくれたんですけど、どうも名前に負けてるみたいで……」

「そんなこと聞いてねーよ。とにかく、こっちは裏門坂《うらもんざか》であぶねーぞ。帰るんなら正門のほうから行きな」


おかの上に建つ、この高校には校舎《こうしゃ》に通じる道が二つある。

一つはふもとから正門につづく正門坂。もう一つは、裏門坂といって、総北《そうほく》高校で代々《だいだい》、「激坂《げきざか》」とよばれている坂だ。

正門坂は距離《きょり》は長いが、勾配《こうばい》はゆるい。

裏門坂は距離は短いが、勾配がきつい。

坂道と今泉は今、この「激坂」である裏門坂を下りようとしているのだった。

「だいじょうぶです。これからアキバに行くんで、アキバに近いこっちの坂から行きます」

坂道は能天気《のうてんき》に答えた。正門坂でも裏門坂でも少しでもアキバに近いほうがいいのだ。

それを聞いた今泉があきれて言った。

「おまえ、なんにも知らないんだな。いいか、教えてやるよ。裏門坂は、斜度《しゃど》が二十パーセントをこえる激坂なんだぞ！」

「シャド……、シャドってなんですかー？」

坂道が聞き返した。

「ちっ、そんなことも知らねーのかよ。坂の角度のことだよ。いいか、ノーブレーキングでいけば、時速八十キロ以上も出る、あぶねー坂だ」

斜度二十パーセントといえば、立っているのもやっとのくらいの角度。そして、時速八十キロといえば、高速道路で自動車が飛ばすくらいの速さだ。

しかし、坂道にはピンときていないようだ。

今泉はこうつけ加えた。

「アキバまでなら、総武線《そうぶせん》で一本だ。電車に乗るなら、駅は正門坂のほうが近いぞ。じゃあな。オレのじゃますんなよ」

そう言うと、ペダルをふんで、あっという間に坂道の前から消えた。

美しい前傾姿勢《ぜんけいしせい》で自転車にまたがり、坂をいきおいよくすべり下りていく今泉。

ムダのないスムーズな動きだ。

「わかりました。だいじょうぶです。自転車で行くから」

坂道は、今泉の忠告《ちゅうこく》が聞こえなかったかのように、ママチャリにまたがって、ペダルをこぎはじめた。

そして、裏門《うらもん》を出て、今泉のあとから激坂《げきざか》を下りはじめた。

アキバへ自転車で！

今泉は走りながら、さっきの坂道との会話を思い出していた。

たしか、これから自転車で行くって言ってたなあ、電車で四、五十分かかるアキバまで。

一体、なに、考えているんだか……、ママチャリで行こうだなんて。

オタクってやつだなあ、あいつは。アホだ！

そのとき、自転車のブレーキ音が激坂にひびいた。

キキキキキー！

キュルキュル！

坂道がへっぴりごしで、ママチャリといっしょに激坂を下りてくるではないか！

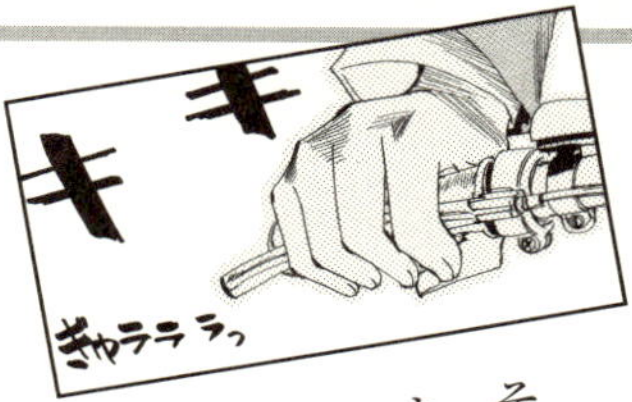

ギュワ――――

坂道の自転車はいきおいづいて速度をゆるめることができずに、どんどん下りてきた。そして、あっという間に今泉に追いついて、二台の自転車はそのまま前後してすべり下りていった。

今泉が走りながら坂道に大声で話しかけた。

「フラフラしてるぞー。ついてくるな、あぶないぞー、アキバへは電車で行け!!」

坂道はハンドルにしがみつきながら答えた。

「いえ!! 自転車で行くんです。なぜなら……あっ!! あああ〜、うわー!」

坂道の自転車が大きくよろけた!

限界《げんかい》をこえたスピードにたえきれなくなったのか、
おしりをうかせたとたんにバランスをくずしてしまったのだ。

こいつは下り坂の乗り方を知らないな、このままじゃあぶない。

そう思った今泉が大声でさけんだ。

「おいっ!! サドルからしりをうかせたらダメだ!! そんなことをしたら、落車するぞ!」

おそかった。

　坂道は自転車ごと、でんぐり返しをするように、前にひっくり返った。自転車の重心がずれて、重みが全部、前輪《ぜんりん》に乗ってしまい、バランスがくずれたのだ。

ゴーーン、ガッシャーン、ゴロゴロゴロゴーーン

坂道の体は地面に投げ出された。

ころがった自転車は横だおしのまま、しばらく地面の上をのたうって、ようやく道のまん中でとまった。

カラカラカラと後輪《こうりん》が回っていた……。

うつぶしたまま動かない坂道に、今泉が声をかけた。

「言わんこっちゃない！　アホかよ。アブねーって言ってんだろ！

ああ、めんどくせーな。

おい、しっかりしろーー、だいじょうぶか！　死んだのか？　いや、生きてるか？」

坂道は首だけ上げて、こう言った。

「ぼ、ぼ、ボクは、じ、じ、自転車でアキバに……行くんだ、なぜならぁ……、

ただで行けるから」

　そして、坂道はサッと起き上がって、こう言った。

「ういたお金で……ガッシャポンが五回できるんです！」

「心配して、そんしたよ。こいつ、とんでもねー、アホだな。入学して気持ちがもり上がってるかもしれないが、ムチャな計画だぜ。アキバに自転車で？　おまけにママチャリだぜ」

　今泉はあきれた。

　ママチャリ……と言ったとき、今泉はあることを思い出した。もしかしたら、うちの運転手の高橋が見たのはこいつかも、と……。

　そういえば、きのう、高橋がへんなことを言っていた。入学式に出るための今泉を乗せた車を運転し、学校へ向かう坂の途中《とちゅう》で、坂を登るママチャリを見たというのだ。

　今泉は朝練でつかれて、うとうとしていたので見ていなかった。

「なに言ってるんだ、高橋。ありえないだろう。走ってるんじゃなくて、おしてるんだろう。ギア十枚のロードレーサーならまだしも、ママチャリでこんな坂、走れるわけないだろ」

あのときはぜんぜん気にしなかったけれど、こいつかもしれない……。

その坂道が地面にはいつくばって、なにかをさがしている。なんだかあわてたようすだ。

「どうしたんだよ」

「ない、ないっ！　サイフがない！

きょうはとことんついてない。

サイフを教室の机《つくえ》の中にわすれてきた……」

坂道は地面の上にへたりこんだまま、とほうにくれている。

こんなアホにはかまっちゃいられない。さあ、トレーニングだ、と今泉は坂道に背《せ》を向けると、一気に激坂《げきざか》を下っていった。

坂道、ママチャリで激坂《げきざか》を!

今泉はそのまま坂を下りきると、今度は下りてきたばかりの激坂を登り始めた。

「行くぜ、登りアタック!!」

空気抵抗《ていこう》をへらすため、せなかをまるめて、小さくかまえる。

人と自転車が一体となり、一つの生き物になったかのような美しいスタイルだ。


自転車はうなりをあげて、すごいスピードを出す。

そのすがたは、まるでレールの上を走るジェットコースターのようだ。

少しのムダもなく、なめらかに移動《いどう》していく。

乗っているのは、レース用の自転車、通称《つうしょう》「ロードレーサー」。

ただの自転車ではない。

美しい三角形が組み合わさったフレームに、大きめの車輪《しゃりん》が二つ。かたくて小さなイスは高い位置に飛び出して、のばした足が地面につかないほどだ。

体を前に思いっきりたおして両手でドロップハンドルをにぎると、頭が前のほうにぐいと出て、自然に前傾姿勢《ぜんけいしせい》になる。

百グラムでも軽くするために、カゴやスタンドやライトなど、ムダなものは一切取りはずされている。

レースをするために生まれた、究極《きゅうきょく》の自転車なのだ。

今泉は坂をこぎながら、ふぅ、とあせをぬぐった。

きたえられて、たくましくなった太ももが上下する。

美しくしまったふくらはぎがパワーを伝え、くるぶしが連動して、足先がペダルをふむ。

ジャ、ジャ、ジャ、ジャ

ジャ、ジャ、ジャ、ジャ

ペダルをふむことで回された前ギアから、チェーンで力が伝わって、後輪《こうりん》が回る。
上り坂でだいじなのは、パワーと軽さ。そしてリズムだ。

ジャ、ジャ、ジャ、ジャ
ジャ、ジャ、ジャ、ジャ
軽快《けいかい》にペダルをふんでいく。

はぁ、はぁ、はぁ、はぁ
だんだんと息があがってくるし、太ももにつかれがたまってくる。

あせるな。登りは一気にパワーを使ってはダメだ。足の筋肉《きんにく》がつかれて、言うことをきかなくなる、と、今泉は自分に言い聞かせた。
上り坂では、「シッティング」（サドルにすわったままペダルをこぐこと）と「ダンシング」（立ちこぎ）を使いわけることで使う筋肉が変わり、

▲シッティング

足のつかれが少なくなるようにする。立ってこぐ「ダンシング」は自転車が左右にゆれ、人と自転車が、ダンスをおどっているように見えることから、そうよばれている。

「心拍数《しんぱくすう》とケイデンスを一定にして、登るんだ！」

ペダルをふんでいると、心臓《しんぞう》がドキドキする回数（心拍数）がだんだんとふえてくる。心拍数はふえすぎるとつかれるので、一定になるように気をつけながらこぐことがだいじだ。そして、上り坂で自転車をうまくこぐコツは、一分間の心拍数と一分間にペダルを回す回数（ケイデンス）を、一定にすることなのだ。

▲ダンシング

ジャ、ジャ、ジャ、ジャ

一定のリズムをきざんで、今泉は傾斜《けいしゃ》二十度の坂を登っていく。

はぁ、はぁ、はぁ、はぁ

「きつくなってきた、一枚おとすか」

そう言うやいなや、右手のブレーキレバーを中指と薬指でクッと内側《うちがわ》におしこんだ。

ワイヤーでつながっている仕掛《しか》けが働いて、

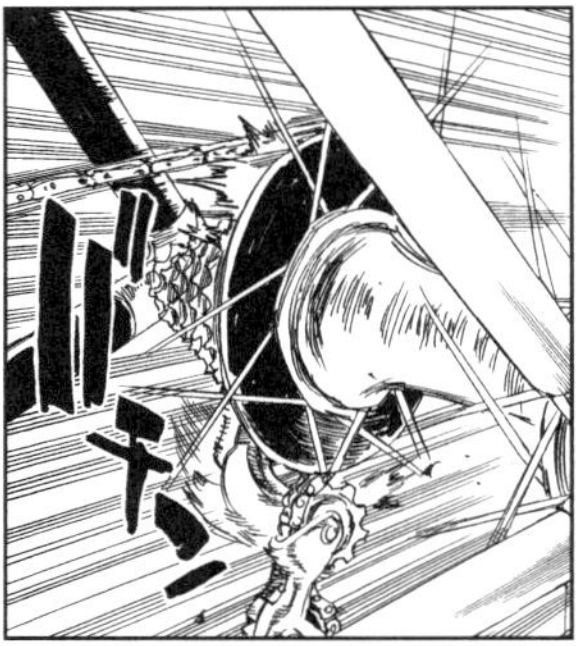

バチン！

大きな金属《きんぞく》の音がした。

ギアが一枚ずれて、変速した！

今泉が「一枚おとすか」と言ったのは、「ギアを一枚、軽くするか」という意味である。

変速機で後輪《こうりん》ギアの直径を大きくすると、速度は出ない代わりに、楽に坂を登ることができるのだ。


今泉が坂を登り始めると、坂の先に一台の自転車が行くのが見えた。

オレ以外に特訓しているやつがいるのか？

どこのロードレーサーだ？

自転車競技部《きょうぎぶ》の二年か三年か？　よーし、追いぬいてやる！
今泉は毎日、十二分に練習をしているから、上級生にだって負けない自信がある。

よし、いいうでだめしの機会だ、ぬいてやる！
頭を低くして、ペダルをふみこんで、グッと前に出ると……。

ヒーメヒメ、ヒメ、ヒーメ、ヒメ、ヒメーーーー♪

追いぬかそうと思った自転車から、鼻歌《はなうた》が聞こえてくる。

歩いて登ることすらたいへんな坂を、鼻歌を歌いながらこいでいるとは、いい度胸《どきょう》をしているじゃないか。
一気にぬこうとしたとき、今泉はこの自転車が異常《いじょう》におそいことに気がついた。

ヒーメ
ヒメヒメ
♪

ヒーメ、ヒメヒメ、ラブリーチャンス、ペタンコチャン♪

気持ちよさそうにメロディーを歌いながら坂を登っていたのは、さっき下りでずっこけていた小野田坂道だった。

坂道はころんだ地点から、また激坂《げきざか》をこいで登り、教室にサイフを取りにもどるところだったのだ。ころげた拍子《ひょうし》に、髪《かみ》の毛にくっついた枯葉《かれは》はそのままだ。

今泉は坂道の走りが信じられなかった。

下り坂ではずっこけてたのに、なんでこの急坂を楽しそうに歌いながらこげるんだ⁉

しかも、ママチャリだぞ！　こいつは、いったい何者なんだ！

ママチャリで、この坂を登れるやつなんて……。

どんな心臓《しんぞう》をしているんだ？
どんな足をしているんだ？
あいつのケイデンスは、尋常《じんじょう》じゃない。

やがて坂道は、うしろから登ってくる今泉に気がついた。そして、二台の自転車の車体がならぶと、坂道がてれくさそうに言った。
「あー、さっきの人！　もしかして、ボクの歌、聞かれちゃいました？　ちょっと待ってくださいよーーー。はずかしい、はずかしい、アニソンを歌ってたことはだれにも言わないでくださーーい!!」

こいつは一体、なにものなんだーー！

今泉はなにもなかったかのように、走りさっていく坂道のせなかをあ然と見送った。

突然《とつぜん》開花することもあるんだって

「なわけでさ、自転車は向き不向きがあるのよー。いつもおにいちゃんが言ってる」

「へぇ、そうなんだー」

校門で話をしているのはさっきアニメ研究会の部室の前で坂道が出会った女子生徒二人。髪《かみ》の長い方が言った。

「スポーツがうまい人って、早くからやっている人が多いでしょ。野球がうまい人は子どものころから野球をやってるし、サッカーがうまい人はサッカーをやっている。でも自転車で速くなる人は、ハンドボール、水泳、サッカーとやってたスポーツがさまざまなんだって。もちろん、中学から自転車レースをやってる人はいるけれどね」

すかさず、そのおしゃべりをさえぎるように、茶髪《ちゃぱつ》が言った。

「来たよ」

「あ、ほんと？」

髪《かみ》の長い女子生徒はひたいに手をあてて、どれどれと遠くを見やった。

ジャ

サイクルジャージに身を包んだ、たくましい男たちがまたがった六台のロードレーサーが、車輪《しゃりん》が回る金属音《きんぞくおん》をかなでながら、とてつもないスピードで二人の前を一瞬《いっしゅん》で通りすぎた。

「来た来た、うちの、総北《そうほく》高校自転車競技部《きょうぎぶ》のエース軍団《ぐんだん》！」

風圧《ふうあつ》で、二人の髪とスカートのすそが、ふわぁりとゆれた。

髪の長い子は、みるみる遠ざかる自転車軍団を熱いひとみで見つめながら、さっきの話の続きをひとり言のようにぽそりとつぶやいた。

「だから、自転車競技《きょうぎ》は昨日までふつうだった人が、突然《とつぜん》開花することもあるんだって。ふふ、これもおにいちゃんが言ってたことだけど、ね」

アキバには行ったってこと？

その翌朝《よくあさ》、坂道は自分で作ったアニメ研究会部員募集《ぼしゅう》のチラシをかかえて、アニ研の部室の前にいた。

部員募集《ぼしゅう》　アニメ研究会
みんなの力で復活《ふっかつ》させよう

このチラシを掲示板《けいじばん》にはろうと気合いを入れた拍子《ひょうし》に、紙のたばをゆかにばらまいてしまった。あわてて、ゆかにはいつくばって拾っていると、長い髪の女子生徒が通りかかった。

「おはよう」

声をかけられた坂道は、チラシをはっているところを見られなくてよかったと胸《むね》をなで

おろし、「お、お、おはようございます」とそそくさと答えて、
教室へ急いだ。

すると、うしろから声がした。

髪《かみ》の長い女子生徒が追いかけてきたのだ。

「まって、小〜野〜田〜くん」

「え!? なんでボクの名前を! ええっ、なんで!」

坂道はびっくりした。

「うん、実はきのう、自転車のところまで、そっとついていって、はってある登録証《とうろくしょう》からクラスと学年を割り出して、担任の嶋村《しまむら》先生に特長と体格《たいかく》を説明して、わかったの」

「け、け、刑事《けいじ》ですか? なんで、ボクのことを調べたの?」と坂道はびっくりした。

「ごめん、キミに聞きたいことがあって。わたしはとなりのクラスの寒咲幹《かんざきみき》、よろしくね」

聞きたいこと?

だれだっけ? この人?

そうだ、あのやさしくしてくれた運動部の女の人だ！

坂道は、人の顔を覚えるのが苦手だけど、たしかにこの顔には見覚えがあった。

「あ、あの、きのうはほんと、すみませんでした。勇気、出ました」

坂道がペコリと頭を下げると、「ははは、同級生に頭、下げてるよ」といつもそばにいる茶髪《ちゃぱつ》があきれた。

坂道のひたいにあせがにじむ。


やっぱり運動部の人って苦手だなあ。

「聞きたいことってのは、きのう、キミが言ってたことなんだ。帰りに自転車で行くって言ったでしょ、去りぎわにチラッと。ねえ、アキバにホントに行ったの？」
そうたずねるひとみがキラキラしていたものだから、坂道はまた、聞いてしまった。
「もしかして、キミもアニメ好きなの？」

言い終わらないうちに、茶髪《ちゃぱつ》からパンチを食《く》らった。

「んなわけねーだろ！　どんな想像《そうぞう》してんだよ」

それを見た髪《かみ》の長い女子生徒が「アヤちゃん、ちょっとひどいよ」と止めると、

「ごめん、ミキ。アタシ、オタクを見るとイライラするんだ」と茶髪があやまった。

「ああ、自転車のことですか……」

坂道はがっかりした。

「えーっと、あのう、きのうは……朝と夕方、坂でころんだときに、自転車の調子が悪くなったみたいで、家に着いたらチェーンが切れちゃって、それで……」

「あー、もー、イライラするわー、要領《ようりょう》をえないわね！　結局、アキバには行ってないってことなのね！　自転車では」

キーンコーンカーンコーン♪

茶髪がキレ気味に結論《けつろん》づけたとき、話を終わらせるかのようにチャイムが鳴った。

「あっ、授業《じゅぎょう》始まるよ、教室にもどろう。まったく、あんたは自転車のことになると目の色が変わるけど、行ってるわけないよ。アキバまで片道《かたみち》四十キロ以上あるんだから、行って帰って九十キロ近い。むりだよ」

「そうだね。へんなこと言っちゃったね」とわらう二人のせなかに向かって坂道が言った。

「あのー」

二人の動きが一瞬《いっしゅん》、止まった。

「チェーンが切れたのはアキバから帰ったあとですよ」

「えっ？」


ガラガラ〜ピシャ！

教室に入ってきた先生がドアをぴしゃりと閉めたから、それ以上、追及《ついきゅう》することはできなかったけれど、髪の長い女子生徒はつぶやいた。

「じゃあ、アキバに行ったってこと……だよね、自転車で」

復活《ふっかつ》！　アニ研

その日のお昼休み。

髪《かみ》の長い女子生徒は寒咲幹《かんざきみき》ことミキ、茶髪《ちゃぱつ》は橘綾《たちばなあや》ことアヤ。

二人はさくらが咲く中庭の芝生に腰《こし》を下ろして、ならんでおべんとうを食べていた。

「いやあ、さっきのはハッタリだね。ミキに気に入られようと、とっさについたうそだよ」

「うーん。うそをつくタイプじゃないと思うんだけどな」

アヤはたまご焼きを口にほうりこみながら「証拠《しょうこ》ないし！」と言った。

「もぐもぐ……アヤちゃん、でも本当だったらスゴイね！」とミキが言うと、

「あんたは楽天的だねえ。考えてみ、時速二十キロで走ったとして二時間。往復《おうふく》で四時間だよ。四時間っていったら、テレビドラマの『湯けむり急行サスペンス』、二本分だよ？」

ちょうどそのころ、今泉はべんとうを食べ終えて自転車置き場にいた。

なにかを探《さが》している……。

「ねえな。きのうのママチャリ。どこにとめているんだ。修理中か？」

今泉は激坂《げきざか》を登るママチャリのことが、ずっと引っかかっているのだ。


そのとき、みんなの話題の主、坂道は教室で一人、べんとうを食べていた。

きのうアキバで買ったガッシャポンのマニュマニュが出るとは、なんとラッキーだったんだ！　自転車をこいで行ったおかげで、ういたお金でガッシャポンが五回できたんだから。

そんなことを思い出しながら、机《つくえ》の下でだれにも見られないように、手に入れたマニュマニュを坂道はながめていた。

そして、べんとうを食べ終わると、チラシをはりにろうかに出た。

きのうの夜、一生懸命《いっしょうけんめい》に手書きしたチラシだ。その数二十枚。これでアニメ研究会の入部希望者を集めて、アニ研を復活《ふっかつ》させるのだ！

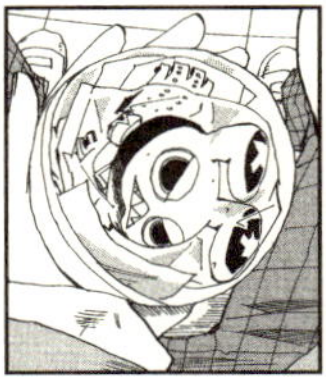

部員募集《ぼしゅう》!　アニメ研究会
漫画《まんが》、アニメーションについて、興味《きょうみ》のある方、語りあいたい方。

フィギュアなど立体造形《ぞうけい》に興味がある方。

「モグモグリン子」「ロードル戦記」「マリアの学園」

「王軍戦紀トラコーン」「秋宮ヒヨリの生活」

顧問《こもん》　武川先生まで連絡《れんらく》を

ろうかの掲示板《けいじばん》に、一枚目《まいめ》をはった。

「部員が五人集まれば、部活動としてみとめられる。集まって、仲間ができて、みんなでアキバに行けたら、ボクはすごく幸せだなあ」

すばらしい未来が始まった気がして、坂道はまたニヤニヤした。

「おいっ」

うっとりしていると、うしろからかたをつかまれた。

「こら、勝手に掲示板にはるんじゃない！　ん、一年生か？」

「ひゃいっ」

声の主は角刈《かくが》りメガネの巨体《きょたい》、体育教師《きょうし》だった。

かれはベリッと、らんぼうに坂道がはったチラシをはがし、
そして、文面に目を通した。

「なになに？　部員募集か」

「はい、あの、だから、武川先生に相談して、それから……」

うろたえる坂道が言い終わらないうちに、せなかを平手でバシーンとたたかれた。

「声が小さーーーいっ!!!　男なら、こんなチラシにたよらずに、足で集めろ。一年だろう!!　覇気《はき》が足りんぞ、友だちは声をかけて作るもんだ!!!」

バシーン。

「ひゃいっ」

「そんなんじゃ、いつまでたってもモヤシのままだぞ!!!」

バシーン!!

「ヒャ〜い」

そして、先生はチラシを指でつまむと、
ビリリリリリリリリとまっぷたつにやぶりさいた。

ひどい。

坂道はがっくりと、ろうかにひざをついた。

「わっはっはっはは。これは愛のムチだ。チラシなんかにたよるな、男なら、当たってい
けよ！　がんばって五人、集めろよー」

そう言いながら、ジャージすがたの巨体《きょたい》はのっしのっしと立ち去っていった。

坂道のやる気やワクワクする気持ち、ひとみのかがやきはこっぱみじんにくだかれた。

モヤシじゃいけないのか。ボクはモヤシで十分だ。

覇気《はき》がなくて悪いのか。
ボクは最初から声が小さいんだ。
運動できないやつをバカにして、大きな声で威圧《いあつ》して、
力でねじふせて、いつだって自分が正しいと思いこんでいる!!
バカにするなーーーー。

今泉との戦い

教師にらんぼうにせなかをたたかれて、はいつくばっている坂道に声がかかった。

「こんなところにいたのか、メガネ」

「え?」

顔を上げると、ポケットに片手《かたて》をつっこんだ今泉が坂道を見下ろしていた。

「勝負だ。話があるから、屋上へ来い」

坂道は、今泉にさそわれて、いっしょに屋上に向かった。

「きょうはツイてないにもほどがある。先生にはどやされるし、屋上《おくじょう》によび出されるし」

ブツブツひとり言を言いながら、屋上へ着くと、ネクタイをゆるめた今泉が、きびしい目つきで坂道をにらんでいる。

「勝負ってなんですか?」

坂道は小さな声をしぼりだして聞いた。

ずいぶんと長い間があった。

やがて、真一文字《まいちもんじ》に結んだくちびるを開いて、今泉が言った。

「自転車で、競走だ」

「競走?」

あまりに意外なセリフに坂道は混乱《こんらん》した。それにもかかわらず、今泉は言葉を続けた。

「きのうも言ったが、この学校には二本の坂がある。道幅《みちはば》も広く、勾《こう》配《ばい》もゆるい正門坂と古くて斜度《しゃど》のキツイ激坂《げきざか》の……おまえがきのう、歌いながら登って行った裏門坂《うらもんざか》だ。そこを、もう一度、オレと走れ」

「……」

たしかに、きのう、坂道はアキバに行くときに近道をしようと裏門坂を下った。そのとき、こけてしまい、アドバイスをくれたのが、この男の人だった。そして、サイフを教室にわすれたことに気づいて、坂を登っていたら、あとから追いついてきたのもこの男の人だった。そのときに、だれもいないと思って気分よく歌っていたのを聞かれて……。

坂道がそんなことを思い返していると、今泉が重ねて言った。

「おまえはママチャリで足をつかずに歌いながらあの坂を登っていたよな。オレはそのほんの一瞬《いっしゅん》を見ただけだと思う。マグレだと思ってる。そんなことができるわけない。だから、それをたしかめたいんだ」

「やっぱりボクの歌を聞いていたんですね！　しまった、はずかしいじゃないですか‼」

「歌？　そこは今、重要なところじゃねーよ！　話がかみあってないぞ！」

はぐらかされた今泉が、大きな声を出した。

運転手の高橋が「激坂《げきざか》を登るママチャリを見た」と言ったときは、今泉はまるで信じなかった。そのあと、自分の目で見たにもかかわらず、まだ信じられないのだ。

今泉はとにかく、気になることは解決しておきたかった。

今、目の前に立っている坂道が、なんであの坂をラクラクと、しかもママチャリで登れたのか。その理由を知りたかったのだ。

上り坂で一番のカギ（キモ）は、自転車の軽さだ。
今泉のロードレーサーは重量が八キロ。坂道のママチャリは二十キロはある。
二台の重量差は十キロ以上にもなる。坂道は、まるで水がなみなみと入った二リットルのペットボトルを五本もくくりつけて走っているようなものだ。
その自転車で、こいつは休み休みにしろ、こぎながら登っていた。
それが自転車にくわしい今泉には、腑《ふ》に落ちないのだ。

勝負といったけれど、もちろんオレがぶっちぎりで勝つことはわかっている。
ただ、オレは見たいだけなんだ。こいつが、どうやって、ママチャリで、裏門坂を登ったのか、もう一度、こいつのペダリングを見ておきたいんだ。

これが正直な気持ちだった。
偶然《ぐうぜん》に出会った坂道に興味《きょうみ》をひかれてしまい、気になって仕方なかったのだ。

ゴォ――――

そのとき、突風《とっぷう》がふいた。

坂道のカバンから飛び出したアニ研部員募集《ぼしゅう》チラシが、風にハラハラとまった。

「あーっ」

坂道が大急ぎでかき集めるのを見ながら、今泉はたたみかけるように言った。

「おい、いつ、あいてる？　きょう、駐輪場《ちゅうりんじょう》におまえの自転車はなかったな。きのうの落車でダメージをおったんだろう。いつ直る？」

坂道は、なんで今泉が自分と勝負したいのかわからなかった。

急に現れて、急に競走しようと言い出すなんて。

この人は何を考えているんだろう。

まるでわからないぞ。まさか……、もしかしたら……。

「あなた！　ボクが昨日買った、トラコーンの限定版《げんていばん》DVD
BOXをねらってるんですか!?
ああ、あ、あれはあげるわけにはいきません！」

思わず坂道から、ふく風にも負けない大きな声が出た。

「はぁ？　なんの話をしているんだ？」

今泉はいらだってきた。

この二人、さっきから話のピントがちっともあっていない。

せかすように今泉が坂道に迫った。

「さあ、いつがいいんだ。競走の日を、今、早く決めろ」

「えーーと。自転車は実はもう直らないって、自転車屋さんに言われて」

「かしてやるよ。自転車ならたくさん持ってるから」

坂道はこまった。

自転車がないと言ったら、あきらめると思ったのに、今泉はすぐにはねかえしてきた。

ボクは勝負なんかする気ないよ。ボクは早くあと四人見つけて、部を復活《ふっかつ》させたいんだ。

競走をことわったら、おこるかな。


坂道がそう思ったとき、今泉が見すかしたように言った。

「入ってやるよ」

「え?」

「アニ研に入ってやるよ、オレが」

「どういうこと……ですか?」

「オレが競走に負けたら、アニ研に入ってやるよ。人数足りねーんだろ。オレもまだ、自転車競《きょう》技《ぎ》部《ぶ》に入ったわけじゃないし」

今泉は、落ちていたアニ研チラシを一枚《まい》ひろいながら言った。

「えーっ。本当ですか! たなぼた! ひょうたんからなんとかだ! 一人部員がふえるんだ。アニ研復活へ、一歩近づくんだ!」

おどろきとよろこびがいっしょになって、坂道はまい上がりそうになった。

今泉が続けた。

「それくらいウマミがねーと、おまえも本気出せねーだろうからな」

「えーっと、あなたのお名前は？」

「今泉俊輔《しゅんすけ》だ」

「ちなみに今泉くんの好きなアニメはなんですか？」

「え……ド……ドラえもん？」

「すばらしい‼　あれは深い作品ですよね。作者の未来観や人間観に温かみがあるんですよ。アニメ版《ばん》も新しい声優《せいゆう》さんたちがすっかり板についてきて」

アニメの話となると、坂道は早口でよくしゃべる。立て板に水のごとくスラスラだ。

そして、あっけにとられる今泉をよそに、こう言った。

「あ、こういう話は今泉くんがアニ研に入ってから、いくらでもすればいいですね。では、勝負のときにまた会いましょう！」

ペコリ！　とおじぎをすると、坂道はその場を立ち去った。

「入ってから……って。あいつ、勝つ気か⁉」

勝負の日

四日後。

二人が集合場所の宮下交差点《みやしたこうさてん》にあらわれた。

「来たな」

今泉が坂道に声をかけた。

そのすがたは対照的《たいしょうてき》だ。

坂道は「1―4小野田」とでっかい名札《なふだ》がぬいつけてある学校のジャージに銀のママチャリ。メーカーは不明。アニメの「王立軍」のステッカーがはってある。ちょっと緊張《きんちょう》しているようにも見えるが、それはアニ研復活《ふっかつ》のために、ぜったいにがんばる、という覚悟《かくご》の表れかもしれない。ひたいにはたくさんのあせをうかべていた。

かたや、細くしなやかにきたえあげた肉体を、かぎりなく空気抵抗《ていこう》をへらすピタピタのサイクリングジャージに身を包んだ今泉。かたわらには青一色のスタイリッシュなロードレーサー。
「レースコースを説明しておく」
今泉が口を開いた。
「きょうのコースはシンプルだ。この宮下交差点の神社の階段《かいだん》前をスタートし、そこから、街中《まちなか》を三キロ走って、裏門坂《うらもんざか》下まで行き、そこから裏門坂を二キロ登ってゴールは学校だ。走行距離《きょり》はおおよそ五キロ」

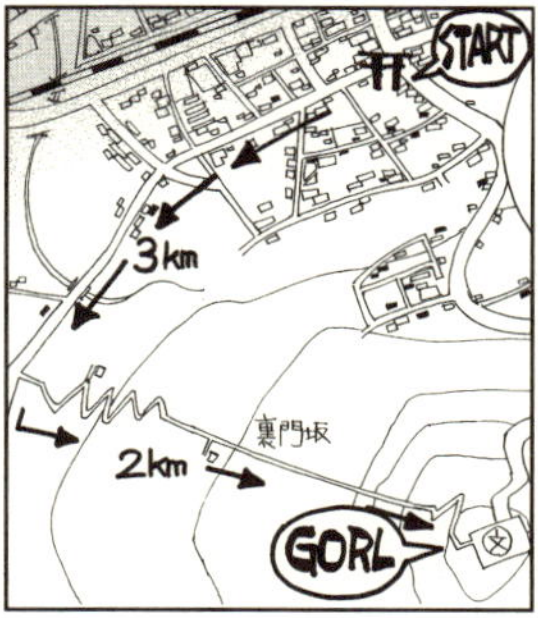

坂道はだまって聞いていた。
そして、今泉は特別ルールを告げた。
「オレは経験者《けいけんしゃ》だ。だから、おまえが先にスタートして十五分後に出る。それがハンデだ」
「わかりました。あ、あ……あ……あの……さっきから、ひとつ気になることが……」

「えんりょせずに言ってみろよ」

「なんなんですか、この人たちは？」

「む？」

戦う男二人、じゃまの入らない真剣《しんけん》勝負の世界、と思いきや……。

ワーッ、ワイワイガヤガヤ
きゃっきゃ、うふふふっ

総北《そうほく》高校の女子生徒がレースを見ようと、このスタート地点に集まっているのだった。

「きゃー、ガンバッテー、今泉くん！」

「今泉くん、超《ちょう》かっこいーー！」

入学式からまだ間がないというのに、今泉ファンが山ほど。

あー、なんでこんなことになっているんだよ。

今泉がブスッときげん悪そうにしていると、一人の女子生徒が近づいてきた。

「ツール・ド・フランス、ジロ・デ・イタリア、名だたる自転車レースは、やっぱり観客あってのもり上がりでしょ。ロードレースには観客がいなきゃ！　だからわたしもせいいっぱい、もり上げようと思ってね！」

すっと現《あらわ》れたのは、黒く長い髪《かみ》にパッチリとした目、すらっと長い足。寒咲幹《かんざきみき》こと、ミキだった。

「か、寒咲!!　おまえのしわざか!!!　だれにも言うなって言ったろ！」

「それって、広めてくれっていう意味かと思ったわよ」

「ちげーよ、おまえがしつこく聞くから。空気読めよ！」

今泉があきれた。

「空気、読んだから、こうなってるんですけど」

ミキも負けてない。

「さてっと、地面にチョークで名前を書こうか?」

ミキは、ポケットから白いチョークを出すと「IMAIZUMI《イマイズミ》」とローマ字で、スタート地点の路面に今泉の名前を書いた。ヨーロッパの有名レースでは、応援《おうえん》するレーサーの名前を、コースにチョークで書くのが風物詩なのだ。

ミキの気持ちの中では、きょうの「裏門坂《うらもんざか》レース」も世界でもっとも有名なレース、ツール・ド・フランスなみにもり上がっているようだ。

「こ、この自転車オタク娘《むすめ》め。ったく、あのなあ、一応《いちおう》、勝負だけど、そういうんじゃないんだよ。へんにもり上げるなよ、たのむから」

なにを言われても、ミキはへっちゃら。

「ほら、人が多いから、ガチガチに緊張《きんちょう》しているじゃん、こいつ。完全に萎縮《いしゅく》している」

たしかに坂道は、今までに感じたことがないくらい緊張していた。女子生徒からの心ない言葉がヒソヒソと聞こえてくるからだ。

「今泉くんの相手って、あの子なの？」
「うそ、メガネ？　しかも細っ！」
「ちょっと見て、あれってママチャリだよ」

みんながボクを見てわらっている。

坂道はこれからレースだというのにうなだれていた。

うつむいた坂道のかたをポンとだれかがたたいた。坂道がふり返った。
「小野田くん！　がんばってね」
うしろからミキが声をかけた。とたんに坂道の心臓《しんぞう》がドッキンドッキンと高鳴った。

ここにいるみんなが見たいのは今泉くんだけ。それはわかってるけど、ボクは注目されるとダメなんだ。

坂道はひるんでいた。

でも、ミキはそんなのおかまいなしで言った。

「小野田くん、これで勝ったらチョーカッコイイよ」

「え?」

カッコイイ!

今、カッコイイって言ったよね。

カッコイイなんて言われたことないよ。

ボクの人生になかった言葉だよ。

これに勝ったら、ボクはカッコよくなれるの?

ドクン、ドクン、ドクン

坂道は自分の心臓《しんぞう》の音が大きくひびくのを聞いた。

ふしぎだ、自分の心臓の音が聞こえるなんて、と坂道は思った。

緊張《きんちょう》をやわらげようとするかのように、ミキは話しかけた。

「でも、本当だったんだね。秋葉原まで四十五キロ、自転車で行ったって話」

「あ、ハイ！　小学校四年生から秋葉原には毎週欠かさず自転車で通っています」

「え⁉　そんなに？」

ミキだけではなく、今泉の目もおどろいたように見開かれた。

部員をふやすんだ

二人はスタートラインに立った。
今泉は頭を低く、かまえる。
坂道もぐっと前をみすえた。
ハンドルをにぎる手に力が入った。
スターターはミキだ。一瞬《いっしゅん》、静かになって、空にミキの声がひびいた。
「ヨーイ、スタート！」
合図とともに、坂道は猛然《もうぜん》とダッシュした。
いいスタートだ！
その坂道のせなかを、十五分後にスタートする今泉は表情《ひょうじょう》を変えずに見ている。

ジャカジャカジャカジャカ
坂道は一心不乱《いっしんふらん》に足を動かした。
スタート地点のざわめきがウソのように、なにも聞こえてこない。
街《まち》の景色《けしき》がどんどんうしろに飛んでいく。

坂道は自分をはげました。
がんばろう、そしてもう一人部員をふやすんだ。あのやさしい人も言ってくれた。
「ママチャリでロードレーサーに勝ったらかっこいいよ」って。
がんばるぞ！
五人集めれば、部活ができる。
部活ができれば、人が集まる。
人が集まれば、仲間が増える。
そして、好きなマンガやアニメを持ちよって語って、放課後はアキバへ行って、ボクは

楽しい高校生活を送るんだ！
そう考えるだけで、坂道はワクワクした。
三年間の高校生活のすべてが、このレースにかかっている、と必死にペダルをふんだ。

行く手に帰宅途中《きたくとちゅう》の女子生徒が二人、自転車をこいでいるのが見えたが、坂道はあっという間に追いぬかしてしまった。

「なに、今の？」

「速《はや》っ！」

女子生徒たちは、なにがすぎていったんだろう、とぽかんと坂道のせなかを見ている。

今、「速っ」って聞こえた気がしたけど……ボクに言ってるんだよね。ボクは速いのかな。

そういえば、この感じは、去年の冬のイチオシアニメ「『ショーグンタイム』お得アキバ限定ＢＯＸ」の三時からの抽選会《ちゅうせんかい》に間に合わすために全力でこいだときなみに、スピードが出ているかもしれない。

あれは、アキバまでの最速記録だった。

う、うわっ！　今、時速二十七キロも出てる！

坂道は、ハンドルのつけ根に取りつけたサイクルコンピュータの表示を見ておどろいた。

レース前に今泉がつけてくれた装置《そうち》で、速度や走行距離《きょり》、時刻《じこく》などが表示されるのだ。

速いなあ、とペダルをふんでいると、前を走る、おばちゃんが乗っている原動機《げんどうき》付きスクーターと同じ速度になった。

並走《へいそう》だ！

そのとき、坂道はひょっとしたら、ボクは速いかもしれない!!　と思った。

今まで、何キロスピードが出たなんて、気にしたことなかったけど、全速力で走ると、すごいペースなのかも!?

二十八キロ、二十九キロ、どんどん上がる！

ジャカジャカジャカジャカ

ジャカジャカジャカジャカ

あの小さな橋をこえれば、坂だ。

そういえば、今泉くんがこのサイクルコンピュータをかしてくれるとき、「オレのスタートは十五分後だから、見ながら走るといい」と言ってたけど、そろそろスタートして走っているころかなあ？

キキキキッ――

［←千葉県立総北《そうほく》高等学校（裏門《うらもん》）２㎞］

この看板の前で、坂道はブレーキをかけた。

そして、サイクルコンピュータを見て、時間の確認《かくにん》をした。

まだ、十分しかたってない。

坂道は五キロのコースのうちの三キロを、十分で走ってしまった。あとは二キロの上り坂を行けばゴールだ。なのに、この時点で今泉はまだスタートすらしていない。

「今泉くんは計算ミスしたのかな？　予想していたよりも、ボクが速すぎたのかな？　ここで少し待っていたほうがいいのかな」と坂道は坂を見上げて、行くべきか、待つべきか考えた。

「いや、心をオニにして、走ろう。アニ研の部員ゲットがかかっているんだから。ボクがアニ研を復活《ふっかつ》させるんだ！」
坂道はふたたび、ぐりんぐりんとペダルを回しながら、坂を登りはじめた。
「すいません、今泉くん、ボクが先にゴールします！」
そんな坂道のひとり言も知らず、そのころ、今泉は――――。

今泉のスタート

「今泉くん、もうスタートしたほうがいいんじゃないの？」

「十五分のハンデなんて与えすぎよ。ひょっとしたら、あのメガネの子、もう坂を登り始めているんじゃないの？」

女子生徒たちがさわぎだしたが、今泉は興味《きょうみ》なさそうに言った。

「そうだろうな」

「そうだろうな、って……え!? ちょっと今泉くん、マズいんじゃないの!?」


グッーー、バチン！

今泉がペダルにシューズをハメた。そのとき、あたりの空気がピンとはりつめたように思われた。

「心配するな。最初から、平《へい》たんな三キロは、あいつに本気で坂を登らせるためのウォーミングアップ代わりだ」

そう言い放つと、サイクルグローブをはめ、サイクルコンピュータをセットし、するどい眼を光らせた。

「よし、約束のジャスト十五分。スタートするか」

グッ、ジャッ！

音がしたかと思うやいなや、今泉のすがたはマシンごと神社前から消えた。

空気がふっとゆれた気配がしただけだった。

「えっ、もういない！」

女子生徒たちが、なんで自分がここにいるのかをわすれるほど今泉のスタートはあっという間のことだった。

坂道が追いつくわけがない

空気を切りさくように今泉のマシンがいく。

坂道のママチャリが進む音は「ジャカジャカジャカジャカ」だったが、今泉のロードレーサーの音は「ジャアアアアアアア」だ。風を静かに切っていくような音しかしない。

今泉のサイクルコンピュータの速度《そくど》表示《ひょうじ》は四十七。坂道のは二十七だから、倍に近い。

さっき坂道が追いぬいたスクーターのおばちゃんを、今度は今泉がシュッと追いぬいた。サイクルコンピュータの数字は五十五キロだ。疾風《はやて》のように速い。

そんなことを知らない坂道は、坂の途中《とちゅう》で奮闘《ふんとう》していた。

「先にゴールします」なんて、言ったことがウソのように、その走りがにぶくなっていたのだ。

ジャ——カジャ——カジャ——カ

こぐ音はずいぶんと間のびし、ガクンとペースが落ちていた。

坂道の息づかいがあらくなる。

上り坂はきつい。平《へい》たんな道みたいには進まない。でも、だいじょうぶ。もう三分の二は走ったし、今泉くんはさっきスタートしたばかりだ、と坂道は落ち着いていた。

ギョエ————、バタバタバタ

突然、大きな音がした。坂道はひっくり返りそうなほどおどろいたが、それはカラスの鳴き声だった。

びっくりした、あわてるな。あわてるとろくなことがない。

前だってひどい失敗をしたことがあった。

イチオシアニメの宝まゆみ原作のサイコホラー第一話の放映時間をまちがえていて、すっごくあわてて学校から帰るはめになったときだ。そのときはなんとか間に合って、録画《ろくが》ボタンをポチッとおしたところまではよかったんだけど、チャンネルをまちがえて、ちがう番組がとれていたことがあった。あれには心底《しんそこ》ガックリきた。

「だから、平常心《へいじょうしん》。平常心でいけば大丈夫《だいじょうぶ》。先にゴールできる」

坂道はそう自分に言い聞かせた。


でも、今度はギュッギュッという音が聞こえてくる……。

坂道はなにかを感じて、ふり返ったが、なにも変わったものは見えなかった。

落ち着こう、風の音だ。


ギュ……、ギュ……

でも、また坂道はギュッギュッという音がしたような気がした。

「来るわけないいよ。だって、今泉くんがスタートしてから、まだ十分もたってないもん」

しかし、音はどんどんと大きくなっていった。

坂道のせなかに、ひやあせがツーッと流れた。

ギュッ、ギュッ、ギュッ、ギュッ……

今度はこの音に重なるように、あの声がはっきりと聞こえた。

「思ったよりも登ってるじゃねーか」

今泉の声だ。

「うあああああああああああ!?

今泉くんがきたーーーーーーー!!!」

十分もたっていないのに？

坂道はおどろいた。

いざ、勝負だ

そのころ、ミキとアヤ、そのほか何人かの〝今泉応援団《おうえんだん》〟をぎゅーぎゅーに乗せたタクシーが激坂《げきざか》に向かって飛ばしていた。

「んもう、運転手さん、もっとスピードを出せないの？」

「お客さん、定員オーバーなのにスピード出せるわけないでしょ！

むりやり乗りこんできて」

「とにかく急いで！　レースのだいじなところを見のがしちゃうじゃん！」

レースのだいじなところとは、もちろん、今泉が坂道をぬくところだ。ミキは好奇心《こうきしん》で胸《むね》がはち切れそうになりながら、もう座席《ざせき》でじっとしていられないと身を乗り出して二人のすがたをさがしている。

それを聞いたアヤがあきれて言った。

「ミキって自転車のこととなるとホント、見さかいないね、別人みたい。あきれた」

やがて車は小さな橋をわたり、裏門坂《うらもんざか》の看板前《かんばんまえ》でウインカーを左にカッチカッチと出し、坂を登り始めた。

しばらく登ったところで、突然《とつぜん》ミキが大声を出した。

「運転手さん、止まってーーーー!!」

キキキ――――

車は前につんのめりながら、坂の途中《とちゅう》でとまった。

「お客さん、急に大きな声を出さないでくださいよ」

「小野田くんが……止まっちゃってる……！　なんで！」

そこには、立ちすくんでいる坂道がいた。

レースの途中のはずなのに、自転車にまたがったまま、ボーッと立って、かたを落としてうなだれているのが、はなれたところからでもすぐにわかった。

ミキは車を飛びおりて、坂道に近づいた。「なんで止まってるの」と言いたかったが、とても聞けるようすではなかった。

今泉しか眼中《がんちゅう》にないファンの女の子たちは「やっぱり、今泉くんって、すごーい」ともり上がっている。

アヤでさえ、「ほおら、やっぱりね。わたしはダメだと思ってたわ」と言い出す始末《しまつ》だ。

ミキたちに気がついた坂道がゆっくりとふり返った。

「あ……、みなさん……。すいません、ぬかれました」

消え入りそうなほど小さな声だ。

「一瞬《いっしゅん》……一瞬でぬかれました。すみません、いっしょうけんめい、こいだんですけど」

坂道のひたいにはあせがふき出している。運動のあせだか、ひやあせか、わからないが、すごいあせの量だ。


すると、ミキが突然《とつぜん》、強い口調《くちょう》で言った。

「おりて、早くおりて！」

坂道がぽかんとしていると、もう一度、ミキが言った。

「今すぐ、自転車をおりて！　これじゃあ、必死にこいだってムダよ！」

「そうですよね、ダメ……ですよね」

坂道はさらにがっくりとうつむいた。

ミキはママチャリのスタンドをガシャンと立てると、サドルの根元のレバーをくるくると回し始め、「急がないと追いつけないわ」と自分に言い聞かせるように、サドルをグイッと引き上げた。

「スタートのときから気になってたんだけど、サドルがかなり低いのよ。サドルには、その人の身長にあった高さってものがあるの。だから、ほら、高くしたわ。小野田くん、またがってみて」

「う、うん」

坂道はとまどいながらも、言われるがままに自転車にまたがったが、両足がブラブラして地面につかない。

「えー、足、つかないんですけどー!?」

スタンドを立てているからたおれないものの、つま先をのばしても届《とど》かず、足はピコピコと空《くう》を切るだけだった。

ミキは満足そうにうなずいた。

「これでよし！　これが小野田くんが、一番力の入るサドルの高さよ」

力が一番入るサドルの高さがあるなんて、知らなかった、と坂道が感心していると、ミキが言った。

「いい？　サドルにすわったとき、ひざをのばした足のかかとが、下の方にあるペダルに

のる高さが、一番力の入るサドルの高さよ。ねえ、小野田くん、いつからこの自転車のサドル、高さを変えてないの？」

「これを買ってもらった小学四年生のときから、です」

「それなら、サドルを上げた効果《こうか》におどろくわよ！」

ミキはニコッと笑って、そして力強くこう言った。

「さあ、レースはまだ、終わってないわよ。思い切り、こいでみて!!」

坂道の心臓《しんぞう》は急にドクンドクンとし始めた。

体の中のなにかのスイッチが入ったようだった。

よし、やってみよう！

坂道はグン、とペダルをふみこんだ。

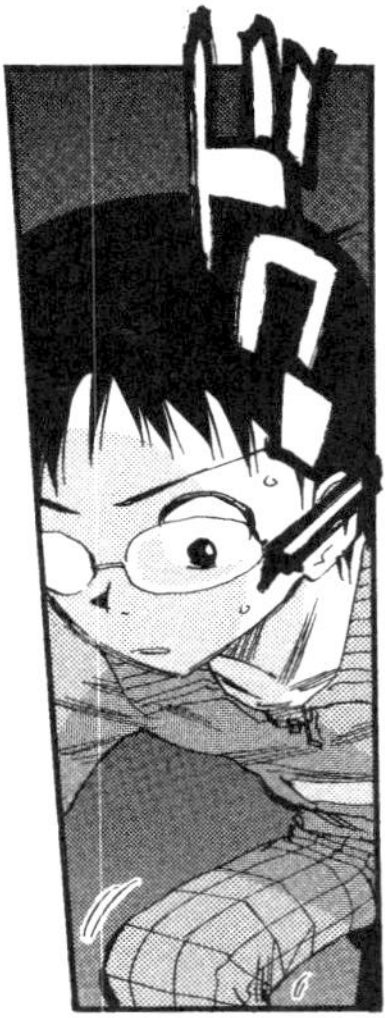

でも、足がペダルにうまくのらず、ふみこめない。それどころか、ママチャリは大きくかたむいて、あらしの海にうかぶ小船《こぶね》のように右へ左へ大きくかしいだ。
「ああ、見てられない。やっぱ、あわないいんじゃない？」

アヤがあきれて言った。

「あはははは、ちょっと、そんなんでだいじょうぶなの？」

今泉ファンの女子生徒たちも、坂道のへっぴりごしを見てわらっている。

「あわわわわわ！　いきなり、こんな高さはーーーー、むずかしい！」

　ふらふらしている坂道に、ミキが大きな声でゲキをとばした。

「ペダルをこぐことだけに集中して！」

「はヒャい！」

　坂道は返事するのもやっとだ。

　でも、足はしっかり、ぐるぐるとペダルを回しはじめた。

「わわあわわわわわわわわわわわわ――」

なんと、あっという間に坂道の自転車は三十メートル先まで進んだ！

それを見て、「え？　めっちゃ進んでない？　なんで？」とアヤがおどろいたが、それ以上におどろいたのは坂道だった。

「今のはなんだ？　そんなに力を入れてないのに、一瞬《いっしゅん》でここまで来ちゃったんだけど」

坂道はまばたきするのをわすれていた。

「なんで急に速くなったの？」

アヤがミキに聞いた。

「ペダルに、力が十分に伝わっているのよ」

ミキが解説《かいせつ》した。

「ってことは、今までは、そうじゃなかった、ってことね」

「そういうこと。小野田くんは、もともとペダルを回す力がすごくあるのよ。でも、サドルが低すぎて、その回す力をムダにロスしながらこいでいたんだと思う。だって、サドルの高さが合わないと、六十パーセント以上の力を失っているって、言われているわ」

スピードに乗って、ぐんぐんと先を行く坂道のせなかを見守りながら、ミキは満足していた。

「ラクだ！」

坂道はこの新しい感覚におどろいていた。

なんてラクなんだ。今までより全然、ラクだ！
足がクルクルと回る感じがするし、ひざもいたくない。なんだか持ち上げようとしていた荷物が急に軽くなった感じだ。

サドルを上げるだけで、こんなに変わるなんて、すごい！
自転車って、おくが深いかも!!

さっきまで落ちこんでいた気持ちがふっきれたように、坂道はぐるぐるとペダルを回して、ぐんぐんと坂を登っていく。
ジャカジャカジャカジャカ
ふみこんだ力がペダルからチェーンを伝って、後輪《こうりん》に伝わって、後輪から、地面に伝わっている。坂道は自分の力が確実《かくじつ》にペダルに伝わっていく感触《かんしょく》におどろきながら、ふたたび上り坂を前へ前へと突進《とっしん》し始めた。

さあ、行こう。追いかけよう。

あの親切な人が言っていたじゃないか、

「レースはまだ、終わっていない！」って。

坂道の目がエネルギーで満たされ、らんらんとかがやき始めた。

ゴールまであと一キロだ！

坂道を見送ったミキたちは、またタクシーに乗りこんだ。

「レースは終わってない。ううん、これからよ。すべて見届《みとど》けなきゃ……」

と、ミキが考えていると、アヤが声をかけてきた。

「で、サドルを上げたぐらいで、あのメガネくんは今泉に追いつけるの？　今泉が乗ってるロードナントカっていう自転車は、かなり速いんでしょ？」

「だいじょうぶよ。小野田くんのペダリングはすごく特徴的《とくちょうてき》なのよ。それを今泉くんは、じっくりと見たいのよ。だからきっと……ふふふ」とミキは自信満々に答えた。

「ペダ……ペダリング？　ってなに」とアヤがたずねると、

「ふふふ」と、ミキはなぞのほほえみをうかべるばかりだった。

「まさか、立ちこぎとかじゃないでしょ？」

「うーん。小野田くんはたぶん、立ちこぎはできないと思うよ」

「はぁ？　立ちこぎだったらわたしだってできるよ。あいつ、よわっ!!　だったらどうやって追いつくつもりなの、あのメガネ!!」

そんな話をしているうちに、車はどんどん坂を上がっていった。

坂道を一瞬《いっしゅん》で追いぬいたあとも、今泉はたんたんと坂を登っていた。

ゴールまで、あと一キロ。

今泉はこしをうかせ、立ちこぎで坂を登りはじめた。もちろん、うしろのほうでなにが起きているかなんて、知るよしもない。

ギュ、ギュ、ギュ、ギュ
見事な一定のリズム。
タイヤが地面をつかまえる
音にみだれはない。
もはや熟練《じゅくれん》の技《わざ》。

よく見ると、今泉のマシンは、左右にゆらっゆらっとゆれながら進んでいる。右足をふみこむとマシンと体は右にかたむき、左足をふみこむと左にかたむく。

それでいて、頭の位置とタイヤの位置は変わらない。

つまり、こしをじくに、マシンごと右左にふり子のようにゆれているのだ。

ゆらっ、ギュ、ゆらっ、ギュ
まるで美しいダンスをおどっているようだ。

「ふり子ダンシング」とよばれる走法だ。


さあ、こい。小野田、早く登ってこい！

きょうの対決、勝ち負けは重要ではない。

負ける可能性《かのうせい》なんて、みじんもない。

オレの目的はただひとつ、どうして素人《しろうと》が、ママチャリでこの激坂《げきざか》を登れるのか、それをこの目で確認《かくにん》したいだけだ。


あいつのペダリングのヒミツは、体重を乗せたふみこみでもない。立ちこぎでもない。

ペダルをたくさん回して、回転の力で登る高回転走法《そうほう》（ハイケイイデンスクライム）だ！

現に自転車をこぐ坂道の足は、ほかのだれよりもクルクルと速く、しかもよく回る。


坂道の特徴《とくちょう》を見ぬいていた今泉は、このハイケイイデンスクライムを必殺技《ひっさつわざ》とする有名レーサーを思いうかべていた。

しかし、それはプロレーサーのすがた。経験《けいけん》を積み、練習を重ねて初めて手に入れられる走法だ。

くらべものにならない。あいつは、経験も練習も全然していないドシロート。

そのドシロートにどこまで登る力があるのか、この目で、見きわめてやるぜ！
早く来い、小野田！

ドシロートだけど

はぁっ、はぁっ、はぁっ、はぁっ

息があらいけど、今までの坂道とはちがう。
サドルを上げてからというもの、あまりツラくないのだ!!

これなら追いついて……勝てるかもしれない。
勝って、アニ研の部員をふやせるかも、と気持ちも明るく前向きになっていた。
ガードレールにそってカーブを右にまがると、今泉のすがたが見えた！
「今泉くん！」

今《いま》泉《いずみ》くん

思わず声をかけた坂道の顔がほころんだ。

「来たな。ドシロート」

その声に今泉がチラッとふりかえって言った。

坂道は一気に追いつこうと回転数をあげた。

するとつぎの瞬間《しゅんかん》、今泉のロードレーサーの後輪《こうりん》と、坂道のママチャリの前輪《ぜんりん》がならんだ。

追いついたのか！　と思ったのも、つかの間、今泉はジャッジャッジャッジャッとテンポよくふみこんで、また坂道を引きはなしていく。

でも、その間も今泉は坂道のこぎ方をじっくりと観察《かんさつ》している。速度を調整《ちょうせい》しながら、できるだけ近くで坂道のこぎ方を見たいのだ。

そして、ママチャリのある変化に気がついた。

「ほほう、サドルの高さを変えてもらったようだな。なかなかスムースなペダリングだ」

はぁっ、はぁっ、ぜぇ、ぜぇ

坂道は息が苦しくて、話しかけられても答えられない。

「なにも答えられねーか？」

そう今泉に言われても、坂道はうつむいたまま。

ひたすらになんとかペダルをふんでいる。それがせいいっぱいのようだ。

今泉は、どうせ、あの寒咲《かんざき》がサドルを上げてやったのだろう、と思いながら、坂道の観察を続けた。


苦しいはずだ。ムリもねぇ。かなりの回転数でこいでいるからな。

オレについてきているだけでも、たいしたもんだ。

ママチャリの一分間の回転数は、ふつう平地で六十~七十回転程度《ていど》。一秒間に一回転が目安だ。それが山道の登りになると、半分の三十~四十回転になる。なのに、こいつは今、七十回転くらいまで上げてついてきている。

だが、それもさすがに限界《げんかい》か……。そのうつむいた顔はさぞや苦痛《くつう》にゆがんでいるんだろうな。

ドシロートにしては、よくやった。

「もういいぜ。終わりにしろ」

今泉はもう一度、ふりかえって坂道に向かって見切りをつける言葉をはなった。観察《かんさつ》は終わった。気がすんだ今泉は、坂道の返事も聞かずにペダルをふみこみ、一気に坂道を引きはなした。

ゴワッ、ジャアアアア!!!　グンッグンッー!!

……だったはずなのに、なんと坂道は今泉のまうしろにぴったりとくっついてきていた!

「んん!?　どうして!　なんでついてくるんだ!」

今泉はギョッとして、けげんな顔をした。

「あああああああああ!? 今泉くん!!!」

坂道が近よってきた。まるで、探《さが》していた友だちに会えて、うれしくてたまらないかのような満面の笑《え》みをうかべて。

「今泉くん、自転車をこげばこぐほど進むって、楽しいですね！」

そんな自転車でアキバまで

やっとタクシーで追いついた〝今泉応援団《おうえんだん》〟が見たのは、この場面。今にも今泉に追いつきそうな坂道のうしろすがただった。みんな大さわぎだ。

「キャー、ちょっとどういうこと！ 今泉くん、追いつかれてる！」

「あのジャージの子、やるじゃない。あんな速かったっけ？」

そんな中、ミキはひとり冷静に言った。

「ちがうの、これは今泉くんがわざとペースを落として、小野田くんを待っていたからだと思う。でも……、ちょっと読みがちがったわね」

「なんですって⁉」

それを聞いてアヤが目をまるくした。しかし、

その目よりももっと大きく見開いて、ミキはさけんだ！

「今泉くん、今はかなり本気を出してるわ！」

その言葉が不吉《ふきつ》ななにかをよびこんだかのように、タクシー車内はざわめいた。

ジャカジャカジャカ

くるくるくるくる

タクシーのエンジン音のせいもあって、自転車をこぐ音は聞こえない。

坂道と今泉が懸命《けんめい》にペダルを回しているのが、車から見えている。

ミキが解説《かいせつ》した。

「ほら、よく見てみて。小野田くんの自転車は前ギアが小さくなっているでしょ。これだと同じ距離《きょり》を進むのにも、たくさんこがなきゃならないし、スピードも出ないの。たぶん、ご両親が遠くへ行かないように細工したんだと思う。だって、小四のときに自転車を買ってもらってから、同じ状態《じょうたい》のままで乗ってたって言ってたじゃない」

「そんな自転車、乗りたくないわね」

アヤがあきれたように言うと、ミキが続けた。

「でも、この細工はいいところもあるのよ。たくさん回して、重いものを持ち上げるから、登りがラクになるの。重さがハンデにならないの！」

距離を進むには、ペダルの回転数を上げなければならないから、たくさんこぐ。坂道はそんなに乗りにくい自転車に、小四から中学時代と六年間も乗ってきたのだ。

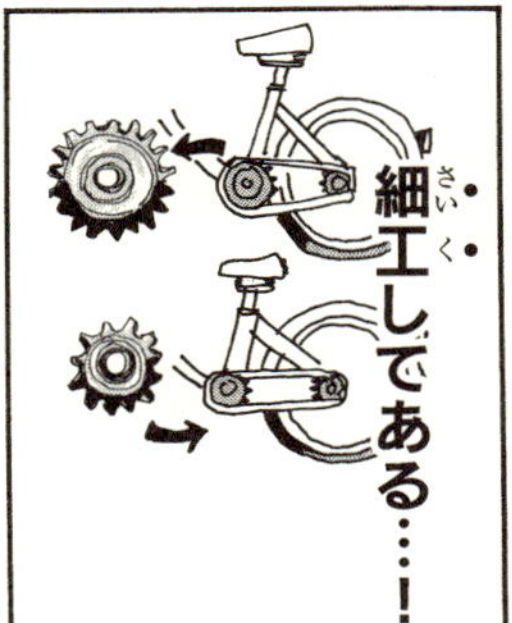

ジャカジャカジャカ
くるくるくるくる
ジャカジャカジャカ
くるくるくるくる

坂道の小さなうしろすがたが、背格好《せかっこう》の大きな今泉のマシンを追いかけているのが見えた。

「……えっ、ちょっと待ってよ、まさかその自転車で、毎週《まいしゅう》、アキバに行ってたの？　往《おう》復《ふく》九十キロの道のりを!!」

アヤがおどろいた。

「それって信じられないほど猛烈《もうれつ》な訓練《くんれん》になっちゃってるんじゃない？」

チィッ！
今泉が舌打《したう》ちした。
ギュッ
坂道が歯をかみしめた。
ついに、坂道が今泉の真横《まよこ》にぴったりとならんだ！

「きゃーーーーーーーー!!　ならんだーーーーーー!!!」
タクシーの中は大歓声《だいかんせい》だ。

坂道は必死だ。歯をくいしばってペダルを回して、
なんとか今泉に勝ちたい。
しかし、今泉はふっと華麗《かれい》にこしをうかせると、
新しいロケットに点火したかのように、今までとは
段違《だんちが》いの加速《かそく》をくりだした。

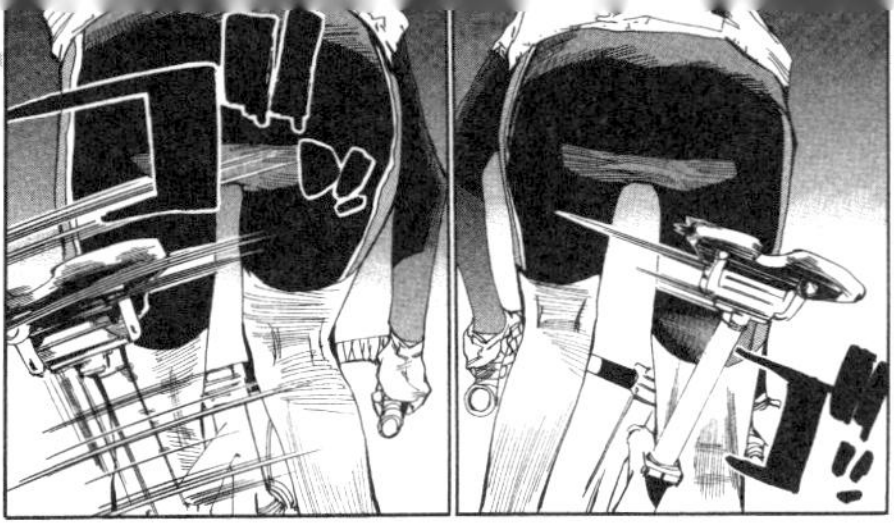

「ふり子ダンシングだ……」

ミキがつぶやいた。その手はかたくにぎられ、あせばんでいた。

「今泉くん、加速《かそく》したよーー、これがうわさのふり子ダンシングね！」

アヤの顔も紅潮《こうちょう》していた。

ミキは、まさか今泉がこの必殺技《ひっさつわざ》を出すことになるとは想像《そうぞう》していなかった。

「プライドの高い今泉くんが、小野田くんにならばれることで本気になったのよ」

ふり子ダンシングをくりだされた坂道には、もうなすすべがなかった。追いつくには時間がかかるのに、はなされるのは一瞬《いっしゅん》だ。あっという間に、ふたたび、大きく引きはなされてしまった。

「追いついたからって、いい気になるんじゃないぞ、じょうだんじゃねぇ」

そう言いたげな今泉のせなかからは、あとをよせつけないオーラが出ている。

そのせなかがだんだん小さくなっていく。

しかし、ふり子ダンシングは筋力《きんりょく》も、心拍《しんぱく》もスタミナも相当に消耗《しょうもう》する。長時間はもたない戦法だ。レースは残り少し。ゴールまでは激坂《げきざか》二十メートルと、つづら折り四百メートルが残っている。だが、今泉ならば全力を出しきればギリギリいける。今泉は本気モードに入ったのだ。

坂道は息も切れぎれで、太ももが上がらなくなった。

頭の中はまっ白だ。それでもペダルをふみ続けているが、どんどん引きはなされていく。これじゃあ、勝てない。口の中に苦《にが》い味が広がるような気がして、心が折《お》れそうになった。

ハア、ハアッ、ハア、ハアッ、ハア

ハアッ、ハア、ハアッ、ハア、ハアッ

「どうしたあのメガネ？」

「戦意喪失《せんいそうしつ》なの？」

その光景を見ていたタクシー内の応援団《おうえんだん》の、はりつめていた緊張《きんちょう》の度合はすでに決着がついたかのように、スーッと下がっていった。それほどまでに、今泉が見せつけた力の差はすさまじかったのだ。

ハア、ハアッ、ハア、ハアッ、ハア
ハアッ、ハア、ハアッ、ハア、ハアッ

坂道は苦しみながらも必死に、気持ちを立て直そうとしていた。

切れそうになる心の糸を、なんとかつむぎ直そうともがいた。

なんでだ、ボク……、頭の中がまっ白なのに、
体は……苦しいのにボクは今……、

どうしても、今泉くんに追いつきたい!!

そう強く願った瞬間《しゅんかん》、坂道の体が、電流が走ったかのようにぶるっとふるえた。

ああああああああああああ！

坂道は絶《ぜっ》きょうしたかと思うと、ものすごい回転でペダルをこぎ始めた。

「ちょっと待って。また差がちぢまりだしてない？」

「うっそー!?」

「勝負はまだ終わって……ないってこと？」

タクシーの中がさわぎだした。
勝負はいよいよ、つづら折りにもちこされた。
つづら折りとは、ジグザグに折れ曲がった坂のことだ。
「どうしたメガネ」
前を行く今泉は、ペダルをこぎながらふりかえって坂道に声をかけた。
「息があがりまくってるじゃねーか。
ならばねーとぬけないぜ」

坂道はうつむいていて表情はうかがえないが、今泉はここまでの坂道の走りを評価《ひょうか》していた。

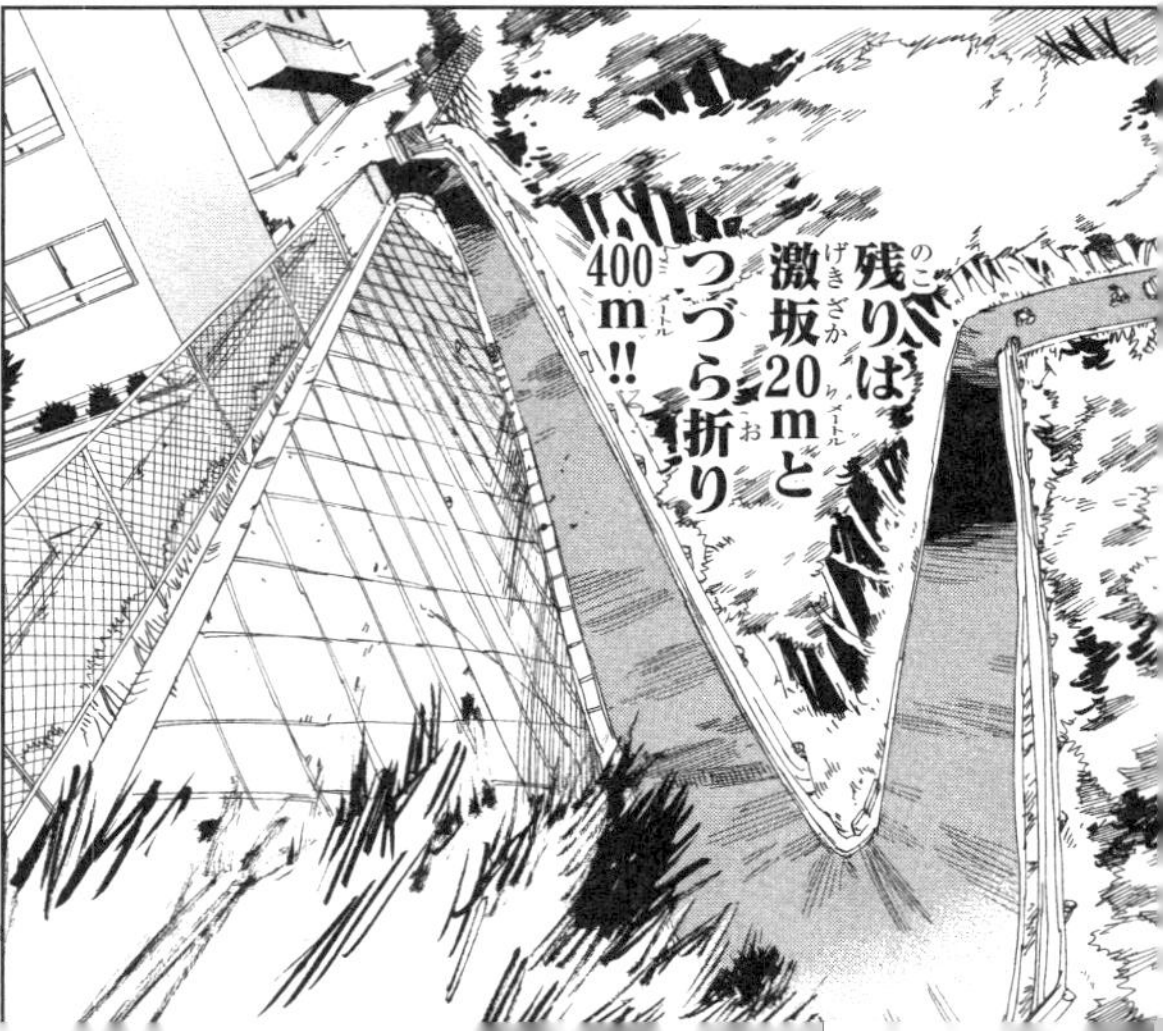
残《のこ》りは激坂《げきざか》20m《メートル》とつづら折《お》り400m《メートル》!!

たいしたものだ。ほめてやるぜ、ここまで追いついてきたことは。正直、オレの予想ははずれた。小野田、おまえがここまで登るとは思っていなかった。重いママチャリを引っぱる脚力《きゃくりょく》、ムダのないペダリング、常人《じょうじん》ばなれしたケイデンス。シロートにしちゃあ天才的だ。

だが、心肺能力《しんぱいのうりょく》だけはシロートレベル。負荷《ふか》がかかれば、十分ともたない。

毎週、アキバまで四十五キロ走ってるだって？　悪いがオレとおまえは練習量がちがう。

オレは毎日、七十キロ以上、走ってるんだ。

今泉には自信があった。

それをうらづけるのは、だれにも負けない練習量だ。

さぁ、ゴールの校門が見えてきた。

「おぼえといてやるぜ、おまえの名前、小野田坂道!!　じゃあな!!」

今泉は一気に飛び出した!!

だが、そのとき、今泉に悲運《ひうん》が起きた。

タイヤが、みぞブタのすき間にはまって、ズルッと自転車がななめにかしいだのだ。ロードレーサーがはねてたおれそうになったが、今泉は瞬時《しゅんじ》に左足のシューズをペダルからはずし、トーンと足をついた。おかげで、たおれずにすんだ。車体は一瞬《いっしゅん》、とまっただけで、今泉はすぐにこぎ始めた。

「キャーーーーー、小野田くん、きたー」とミキの絶《ぜっ》きょうがとどろいた。

このわずかの時間に、坂道がやってきた。

猛《もう》スピードで突進《とっしん》して、ついに二台が完全にならんだのだ。

「なんなんだ、こいつ！　三度もぶっちぎったし、差をつけたじゃないか。息があがりまくりじゃねぇか。バカなのか、学習能力《のうりょく》がないのか。苦しいだろう、キツイだろう。絶望的《ぜつぼうてき》な現実

が目の前にあるんだ。ふつうなら、そこでバトルは終了《しゅうりょう》するのに、こいつは追ってくる」
今泉はおどろいた。
そして、「なんでそこまで追いかけてくるんだよ！」と今泉は横を見て、坂道にどなった。

ハア、ハアッ、ハア、ハアッ、ハァ
ハアッ、ハア、ハアッ、ハア、ハアッ

坂道は息が切れぎれで言葉にならない。

「ハア、ボクは、ハアッ、ハァ、どうしても、
ハアッ、ハア、ハアッ、ハア、アニ……研を、
ハアッ、ハア、作りたいだけ、ハアッ、なんです。
ボクは友だちいないから！」

それまでふせていた顔をあげ、今泉のほうを向いて、坂道ははっきりと言った。

少し先に、高校の校門が見えてきた。

ジャアアアアアアアア…………

今泉が先にゴール。十メートルおくれて、坂道が校門になだれこんだ。

ヘトヘトだ。

「おい、あいつがうわさの一年か。　ん？　もう一人はだれなんだ……？」

このレースのゴールをひそかに見ている一団《いちだん》がいた……。

第二章　赤い髪《かみ》のあいつ

男はだまって赤やろ

秋葉原。

山手線と総武線《そうぶせん》が交差する大きな街《まち》だ。むかしは電気街《でんきがい》だったけれど、今はちがう。

アニメDVDの専門店《せんもんてん》、メイドカフェ、フィギュアを売る店、マニアックなゲームソフト販売店《はんばいてん》、シューティングレンジ、人気アイドルが出る劇場《げきじょう》など、ありとあらゆるオタク文化がそろう街として知られている。

「ほほう、ここが日本一の電脳街《でんのうがい》、秋葉原っちゅーとこかぃ!!」

赤い髪《かみ》に、はでなキャップとジャージの少年が交差点に立っていた。

わらうと目立つ八重歯《やえば》にピンと上がったまゆげ、それに大きな目。

だまっていても、ちょっとこわい感じがする。

「メイドはおらんのかい！　なんや、かわいいヒラヒラした服を着て、うろうろしとるのテレビで見たのにおらんやん。出てこーい、メイド！　どこにいる、メイド！」

だれもがこの赤い髪の男と目があわないように、そそくさと通りすぎていく。

ところが運悪く一人の男がつかまってしまった。

「おい、おい、おっさん。ちょい待ち！　うわぁ、露骨《ろこつ》にそんないやそうな顔をせんでもええやろ。おっさんのことやで」


メガネの太めの男がめいわくそうにふりむいた。

そして、上から下までジロッと赤い髪の男を見て言った。

「うわっ、はでな服!!　ってか、ボクはまだ二十一(歳《さい》)だよ。礼儀《れいぎ》をわきまえない人とは関わりたくないよ」

すぐにでもここを立ち去りたそうだが、この赤い髪の男はおかまいなしに言った。

「おまえ、オタクやろ。メガネやし。ダムプラ※、売ってるところを教えろ！　弟たちに東

※ダムプラ：ロボットアニメのプラモデル

京に行ったら必ず手に入れてくれって、たのまれてるんや。
ほら、ぐわーっと手とかがリアルに動くヤツ。こう、ぶわーっと‼」

小太り男はめんどうくさそうにボソッと言った。

「ダムプラなら、関西でもふつうのおもちゃ屋で買えるよ。でかいおもちゃ屋があるでしょ」

赤い髪《かみ》の男は目をまるくして、ピタリと手をとめた。が、すぐにこう言った。

「でもでもでもでも、せっかくやから、弟たちにはやっぱ、この秋葉原で買ってあげたいんや」

赤い髪の男が弟のことを、まるで秋葉原じゅうの人に聞かせるかのように、大空に向かって話していると、いつのまにか太めの男のすがたが見えなくなってしまった。

「あれ、いなくなってしもうた。まあ、いい。それにしても、東京モンはせわしいのー。しかも、着てるもんが地味やなあ。黒、はい色、くすんだ水色、茶色って！ だれかツッコンだれよ。顔もくすんどるで。あかんあかん、ほら、せなかもまるなっとる！ 男はだまって、

ワイのように赤やろ。赤、着たらいいのに。目立ってなんぼやで、目立たな意味ないで、ホンマ。服も自転車も」

赤い髪の男はそう思いながら、路上にとめてあった真紅《しんく》のロードレーサーまでもどった。フレームの「PINARELLO《ピナレロ》」の文字がまぶしい。

赤い髪《かみ》の男との出会い

その日、坂道もまた秋葉原に向かっていた。

いい天気、自転車びよりだ。

「前よりもずっとラクに自転車がこげるようになったのは、今泉くんからもらったスピードメーターと、寒咲《かんざき》さんに高さを調節《ちょうせつ》してもらったサドルのおかげ。ありがたいなあ」

いつもと同じ道なのに、ペダルは軽いし、スピードが出る。

そして、坂道はさっきから、裏門坂《うらもんざか》レースの翌日《よくじつ》のことを何回も思い返していた。今泉から教室で「自転車競技部《きょうぎぶ》に入らないか」とさそわれたのだ。坂道にとっては大事件だった。

「おまえは、実力はまだまだだが、ペダリングがキレイだ」

そうほめられたのだった。

「オレも来週から、本格的に自転車競技部の練習に参加することに

した。まあ、ムリにとは言わねえ、のびる可能性《かのうせい》があるっつーだけだから」

今泉は言った。

「すごく、あの……うれしいです！　ホントに、あの、ボク、そういう、ほめられることがあんまりないから……」

坂道は完全にまい上がった。

「でも……」

「でも、なんだよ。はっきり言えよ」

坂道の心に、いつもの弱気の虫が顔を出した。


運動部は苦手……だから。


坂道の胸《むね》には肝心《かんじん》なときにいつもその言葉がせまってくる。おこりそうになった勇気の火を消してしまうのだ。あきらめの鐘《かね》がゴーンと鳴るのだ。

そのモジモジした態度《たいど》を見て、今泉はあっさりと話を打ち切った。

「言ったろ、ムリにとは言わねェ。自転車は根性《こんじょう》がないと続かねェ。ケガもするし、金もかかるしな。まあ、おまえのことはおまえで決めていいよ」

坂道は少しがっかりした。

「おまえは、おまえの道をいけ」

今泉の言葉に、さっきまでたしかにつないでいた手をパッとはなされた気がした。あきらめた今泉は、すて台詞《ぜりふ》のように、自転車の魅力《みりょく》をだれに聞かせるでもなくつぶやいた。

「だれよりも速く、だれよりも前へ、たとえ血が出ても、なみだが出ても、自転車がこわれて走れなくなっても、それでも勝ちたいヤツだけが乗ればいい」

ふぅー。

坂道は心臓《しんぞう》がドキドキしてきて、息をつくのがやっとだった。

今泉は立ち去りながら、左手をひょいとあげて、

「あ、そうそう、アニ研に興味《きょうみ》ありそうなヤツに一応《いちおう》声をかけておいてやったぜ。この高校はオレの中学から結構《けっこう》、きてるから。

ふえるといいな、漫画《まんが》やアニメに興味《きょうみ》があるやつが」

そう言いながら、こちらをふり返らずにろうかを行ってしまった。

今泉がいなくなると、そのやりとりを聞いていたクラスメイトが、好奇心《こうきしん》たっぷりにどやどやと坂道によってきた。

「あんなにしゃべってる今泉を見たのは初めてだ。すげーな、おまえ」

「オレ、中学がいっしょだったけど、今泉は目がこわいんだよな、背《せ》がでかいし」

どうやら、今泉はみんなが一目置《いちもくお》く存在《そんざい》らしいということが坂道にもわかった。坂道は自分の言葉で今泉をかばった。

「あ。あの…今泉くんはやさしくて、気さくでとってもいい人です」

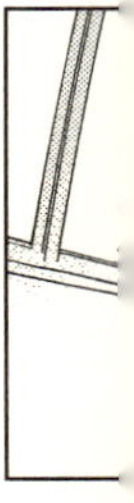

そんなことがあのレースのあとにあったのだと。思い出しながら、坂道は『ラブ☆ヒメ』のテーマソングを口ずさみ、ママチャリを飛ばしていた。
もっと強引《ごういん》に誘《さそ》われたら、ボクは、自転車競技部《きょうぎぶ》に入っただろうか。自転車レースをやりたいのだろうか。

そんなことを思い出しながら歌った。そして歌いながらママチャリをこいだ。

ラブリーチャンス、ペタンコチャンー♪
おーきくなーれ、魔法《まほう》をかけても
ヒメは　ヒメなの　ヒメなのだ♪

ペダルがくるくると調子よく回ったせいで、
この日は新記録かもしれないと思うほど早く秋葉原に着いた。
いつもの秋葉原と風景がちがって見えた。なにか特別なことが起こりそうだった。

さて、きょうはゲーマーゾーンからアキBOXをのぞいて、新刊とDVDをチェックしよう。あ、『ラブ☆ヒメ』のサントラCDも出てたな。最後にガッシャポン堂に行こう。きょうこそ『マニュマニュ』の黒マニュを出すぞ。そう考えるだけでうれしくなって、つい顔がニヤニヤしちゃうなと思いながら、坂道は道のはしにママチャリをとめた。

すると、うしろからでかい声がした。

ふりかえると、赤い髪《かみ》の毛に、すごくはでな服を着た男子が立っていた。

そして、いきなり言った。

「おまえ、オタクか!?」

「あ、い……え」

つい、ちがうと坂道は答えたが、赤い髪の男はそんなことはどうでもいいかのように、すごいいきおいでしゃべりかけてきた。

「あんな、ワイ、ダムプラ買いたいねん！　オタクなんやったらよー、知っとるやろ、行こ！」とかなり強引にさそってくる。

「え、え！　なんなの、この人!!」と坂道があわててにげようとすると、赤い髪の男が坂道のかたをわっしとつかんで、ニヤッとわらった。

「な、ええやろ、行こ！」

ところが赤い髪の男はなにがあったのか、とつぜんだまってしまった。

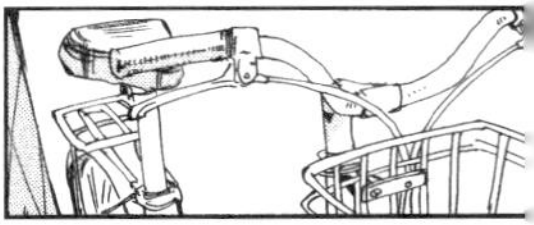

かれの視線《しせん》の先には坂道の自転車があった。

「ほう、これ、おまえのママチャリか」

「え……うん……」

ニヤリとしたかと思ったら、顔つきが変わった。

「地味やなー!!　銀って！　地味すぎや、アカン、目立たなすぎや！　石コロやあるまいし！」

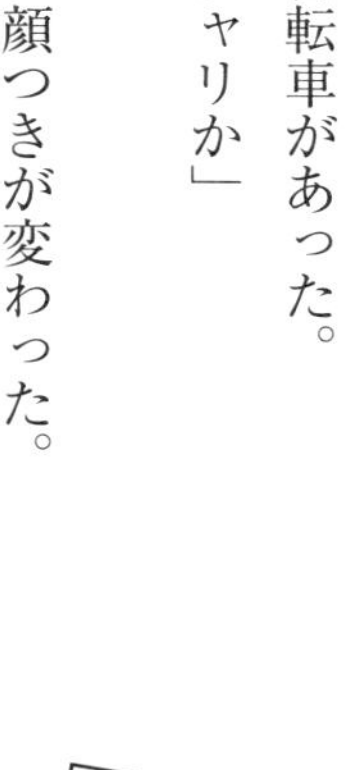

「えええ……」
ずいぶんとひどい言われようだ。ママチャリなんて、どれもこんなものじゃないのかと坂道は思った。すると、自転車のあちこちを観察《かんさつ》していた赤い髪《かみ》の男の表情が、また変わった。
「でも、使いこまれたグリップ、すりへったペダル、整備《せいび》されたブレーキに、適切《てきせつ》なサドル・ポジション！　おまえ、ええチャリに乗っとるな！」
さっきまでの矢《や》つぎ早《ばや》のツッコミとは打って変わって、やわらかな温かい表情《ひょうじょう》で坂道の自転車をほめた。

相棒感《あいぼうかん》、いうやつや

そんなこんなで、結局、坂道は赤い髪の男を自分がよく行くダムプラショップに連れていくはめになった。

テンションが高いから、店に着くやいなや大さわぎだ。

「うおおおおおぉぉ、めっちゃあるやんけ！　お宝や、宝の山な、この店は！　デカっ、ダムプラの箱、デカっ!!!」

「あの、もっと静かに……」

坂道がたしなめても、どこふく風。

つぎからつぎへとプラモデルの箱をあけては、坂道に聞いてくる。

「なあ、なにがええと思う？　いっちゃんはやってるのはどれ？」

「えーっと、プラモデルには百分の一モデルと、百四十四分の一モデルがあって……」

坂道がまじめに説明したのに、赤い髪の男は全然、聞いてない。

「これや！　やっぱこれやろ。赤‼　な！　はでやし、イカス！」

はしゃぎっぱなし。店にいる人たちも、みんな遠まきにしている。

そして、品定《しなさだ》めが終わると、レジの前でこう言った。

「えーっとキミ！　何クンやったっけ？」

「小野田坂道です」

「いやあ、大野田くんの案内のおかげで、いい買いもんができたでー。あれ、ただダムプラ、百円足らへんわ。大野田くん、百円かしてくれ」

名前がまちがっていることを訂正《ていせい》したかったが、それよりも百円！　たった百円だけど、今ここでかしてしまったら、坂道はCDを買うお金が足りなくなってしまう。こまったなあ。

「はい……」

坂道はことわれない。

ああ、これで楽しみにしていた『ラブ☆ヒメ』のサントラCDを買えなくなった！

ああ悲劇《ひげき》だよー、と坂道は落ちこんだ。

しかし、赤い髪《かみ》の男はそんなことはおかまいなし。ごきげんだ。

「助かったでホンマ。心配すな、百円はあとでちゃんと返すで。ワイは親の転勤《てんきん》で、中学まで大阪《おおさか》やったんや。だから関東に来てまだ日が浅いねん。きょうは見物がてら、テレビで見とった〝秋葉原〟いうとこに来てみたんや。右も左もわからんかったけど、ええヤツに会えてよかったわ」

そんなふうに言われると、坂道も悪い気はしなかった。

「さて、もちっと秋葉原を案内してくれや」

赤い髪の男に言われて、坂道たちは店を出て歩き始めた。

「どんなところがいいの？　ガッシャポンとか……ＤＶＤとか」

と、坂道がたずねると、赤い髪の男は大きな声で言った。

「メイドやな」

「えーーーーっ、メイド喫茶《きっさ》は敷居《しきい》が高いよーー。お金が足りないかもー」

そんな話をしながら歩いていると、坂道がママチャリをとめたところにもどってきた。

「ん？　これ、おまえのチャリだったな？　ということは、ここはさっき通った道やな」

赤い髪《かみ》の男はママチャリの前に立ち、話を始めた。

「ワイが育った大阪ってのはな、自転車の街《まち》やねん。ちっちゃい工場から大きい工場まで、自転車工場がぎょーさんあってな。自転車のレベルをうんと上げた、世界最大の自転車部品メーカー『シマノ』も本拠地《ほんきょち》は大阪の堺《さかい》や。大阪人は、ママチャリからロードレーサーまで、みんなチャリンコに乗っとる。一家にママチャリ五台は当たり前。ワイも多いときにはＭＴＢとロード二台とママチャリ、一人で四台もチャリを持っとった」

そんな話をしながら、目は坂道のママチャリをじーっと見ている。

「ワイはこれまでたくさんのチャリを見てきた。だから、わかるんや。自転車を見れば、乗り手が、どれだけ愛情《あいじょう》を持って、そのチャリを大事にしとるかっちゅーことが」

どうも赤い髪の男の話していることが、自分のママチャリのことを言っているようだということに気がついた坂道は、後輪《こうりん》のどろよけにはってある大好きなアニメの「王立軍」のステッカーもふくめて、ほめられている気がして、思わず顔

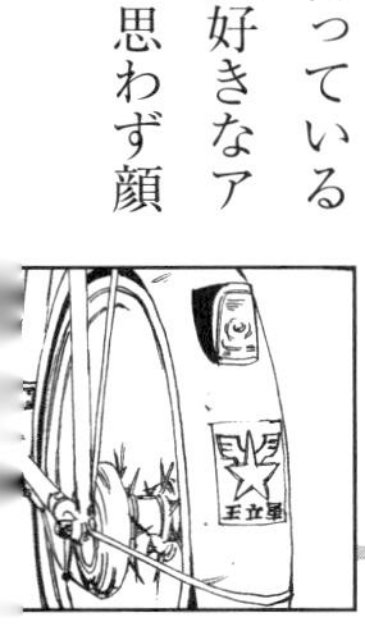

がほころんだ。

「あ、いや、でもボクの自転車はたいしたことないよ。ちゃんと洗ったこともないし、値《ね》段《だん》も安いし」

「あー、ちゃうねん。にじみ出てんねん。値段とかやないねん、なんちゅーかなあー、にじみ出る相棒感《あいぼうかん》、いうやつや」

「相棒感?」

赤い髪の男は、ママチャリのブレーキをギュッとにぎりながら言った。

「おまえ、こいつを手放すことなんて、考えたことないやろ。それくらい、この自転車に愛着《あいちゃく》があるやろ?」

だいじにしてきたことはたしかだけど、いい自転車かどうかなんて、考えたことがなかったので、坂道ははずかしさが顔に出た。

黄色の車を追いかけろ

そのとき、パアンと車のクラクションの音がした。

「どけどけじゃまだ。どけどけ！」

ふり返ると、一台の車が細い路地に入ってくるのが見えた。

黄色のボディに大きなリアウイング。乗っているのはパンチパーマにサングラスの男だ。

坂道はこわそうな人だなあ、と思ったけど、赤い髪《かみ》の男はすぐに近よっていき話しかけた。

「チョーカッコいい!!　兄《にい》ちゃん、メチャ目立つ車に乗っとるな」

「んだー。おめー、見どころあんな。ガハハハ、おまえにはわかるのか、コイツのよさが！」

「わかるわかる。黄色もエエ色や」

こんなこわそうな人と話してだいじょうぶなの？と坂道がハラハラしていると、パンチパーマの男が車の中から、たばこのすいがらを外に向かってピンと指ではじいた。

すいがらは赤い髪の男の頭の上を通り、坂道の自転車に当たってジュッと音をたてて地面に落ちた。

それを目のはしで見ていた赤い髪の男が低く、すごみのある声で言った。

「おまえ、今、チャリにあたったで」

「ガハハハハ、いいじゃねーか、あんなきたねーママチャリなんて！　どうせ、すててあんだろ」

パンチパーマがへらへらっと言うと、赤い髪の男の目の色が変わった。

「だいじに乗っとんや！　すててないわ、ボケ！　あやまれタコ！」

すごい勢いでパンチパーマ男にくってかかった。

「ワイは鳴《なる》子《こ》章吉《しょうきち》、自転車と友だちをこよなく愛《あい》する男や！」

坂道が鳴子を必死でとめながら「うわあ、あのー、ボクはいいから」と言うと、鳴子がグッと空を見上げて、両うでを組んで大きな声で言った。

「おまえもおまえや！ だいじにしてるもん、よごされて、『いいから』ってなんや。ええッ、ちっともよくないやろ。おまえの自転車のこと、言われたんや。おまえが、いちばん文句《もんく》を言えや！」

坂道がまごまごしていると、黄色の車がブオオッと走り出し、パンチパーマが言った。

「おーい、お二人さん。せいぜいあせ流して、がんばれよ。自転車自転車って、おまえら、ばかか！ だせーんだよ、人力《じんりき》は」

鳴子は目を血走《ちばし》らせて、黄色の車を猛然《もうぜん》と追いかけた。

「自転車、バカにすんな、ボケー！

まて、コラ!!」

鳴子は車に向かって大きな声でどなると、かたで息をしながら、

道路に立ちつくした。

「ご……ごめん……」

坂道が反射的《はんしゃてき》にあやまると、鳴子は突《つ》き放すように言った。

「おまえは、あやまらんでええ。くそ！　くそ!!　くそ!!」

そして、鳴子は頭をかかえた。

「あいつのせいで、楽しいふんいきがだいなしになってもたわ」

鳴子がきびすを返し、どこかへ行こうとするのを見て、この人、なんていい人なんだ、自分と自転車のことを守ってくれるなんて、と坂道は思った。

「あ、で、でもさ、気を取り直してガッシャポン、どう？　ガッシャポンならおごれるし、店も近いし」

坂道は、鳴子をさそった。

なにしろ、友だちといっしょにアキバを散策《さんさく》するのは坂道の中学からの夢《ゆめ》だ。

きょう、それがやっとかなうかもしれないのだ。

ところがそれを、鳴子はあっさりとことわった。

「大野田くん、テンションが落ちてもうた。千葉に帰るわ。ほな、ダムプラ、ありがとうやで」

鳴子はふり向きもせず、バイバイと手をふりながら、その場から立ち去ろうとした。

いつもの坂道なら、そのせなかを見送っておしまいだが、この日はちがった。なぜだか声が出たのだ。

だだだだだだ——うしろからかけよった。

「やっぱり、待って。ごめん」
坂道は鳴子を大声で引きとめると、うしろから鳴子のかたに手をおいて、真剣《しんけん》な顔つきで言った。
「あの……今……、千葉って言ったよね……ボクも同じ方角だから……だからあの自転車でいっしょに帰ろう！」
坂道が、自分の気持ちをはっきり言うなんて、生まれてはじめてのことだ。

言えた！　坂道はスッキリした。もしかしたら鳴子の強引な性格が少し移ったからかな、とも思ったけど、思い切って聞いた。

「千葉のどのあたりに引っこしてきたの？」

「ナントカ区や。なんていうたかな、千葉市ナントカ区やけど、おぼえてへんねん。まあいい、行こうか」と、二人はならんで自転車を走らせた。

　さやわかな春の風が、ちょっと熱くなった坂道のほおをなでていく。


　そのときだった！

「おい、見てみろ！　あれ」

鳴子がさした指の先を見ると、渋滞《じゅうたい》している車の前方に見おぼえのある車がとまっていた。

黄色に銀色のホイール、でっかい羽根《はね》。

「うおおおおお。うそやん、きせきの再会や。あそこにさっきの黄色の車のやつがおるやんけ！」

そう言うやいなや、鳴子がいきなりペダルをふみこみ、自転車を飛ばし始めた。

「え、どうしたの！」

「ペダル回すぞ、大野田くん！　ついてこい」

「はい……え、回すって、なんですか？」

坂道がとまどっていると、鳴子がもう一度、同じことを言った。

「大野田くん、ペダルを回すんや！」

「ま、回す？　ペダルを？　まさか車を追いかけるの？

自転車で？」

前を走る鳴子がふり向きながら、坂道に向かってグッと親指を立てた。

なにが起きているのかわかっていないけれど、ここで鳴子にはなされてはいっしょに帰れなくなってしまう、と坂道は必死にペダルをふんだ。

「ぜったいにムリだよ……だって相手は車だよ」

「相手が車とかバイクとか、どうでもええねん、そんなことは」

すると、自転車をこぎながら、鳴子はポケットから小さなビニールぶくろを取り出した。

「あ！　それってさっきのタバコのすいがら？　あの車の人が投げすてたやつだ」

「そうや。こいつをたたき返すねん。こんなにはよう返せるチャンスが来るとは思ってなかったけどな。ひろっておいてよかったわ」

ふりかえった鳴子の目は「やる気スイッチ」が入って、ギロリと光っていた。もう、だれもこの男を止めることはできない。

「おい、なんちゅうなさけない顔や！　やられたんはおまえのチャリや。かたきうちやで、行くで！　ぼーっとしてる場合ちゃうで！　必死にペダルを回せ！」
鳴子は坂道にゲキを飛ばすと、前傾姿勢《ぜんけいしせい》になり、あっという間に速度をあげて、坂道からはなれていった。

坂道も覚悟《かくご》を決めた。
ジャカジャカジャカジャカ
ペダルをぐるぐる回す坂道。
すると、どんどん差がちぢみ、あっという間に鳴子のすぐうしろまで接近《せっきん》した。
「え？　うそやん。ママチャリやろ？　まじでついて来よるで、こいつ！」
うしろに坂道の気配を感じた鳴子はおどろいた。
なんや、大野田くん、ええ脚《あし》を持っとるやないかい。
こいつ、おもろい！
こいつがおそかったら、ワイひとりで行こうと思ったけどな、よし予定変更《へんこう》や！

この予想外の展開《てんかい》に鳴子はが然、張《は》り切った。

そして、「安全第一」と書かれた工事用ヘルメットを坂道に手わたした。
どこかでひろったものらしい。

「大野田くん、ここからもっと飛ばすから、ヘルメットをかぶっとき。これ以上の速度は自転車通行可《つうこうか》の歩道とはいえあぶないから、車道に出るで！」

そう言うと、鳴子はガードレールの外に出て、車と同じレーンを走行し始めた。

「え!!　車道？　あぶない、あぶないよ、鳴子くん！」

坂道もつられて車道に出たものの、なんだかあぶなっかしい。

ふらつく坂道のママチャリのすぐ横を、自動車がどんどん追いぬいていく。

ビューン、ブオオオオ――――

坂道はこわくてたまらない。

「やっぱり歩道にもどろうよ！」

なきそうになってうったえたが、鳴子の耳には届《とど》かない。

「本来自転車は、法律《ほうりつ》では〝車両〟なんや。ほんまは車道を走るのが道義《どうぎ》なんやで。あー、それと先にひとつ言っとくで」

猛《もう》スピードの中、鳴子はふり返って、坂道の目を見ながらニヤリとわらって言った。

「車道を走るときは、スピードが出てへんほうがあぶないで！」

鳴子がそう言ったとき、うしろから猛烈《もうれつ》なスピードでトラックが走ってきて坂道をぬいた。その風圧《ふうあつ》で、ママチャリが木《こ》の葉のようにゆらめいた……。

うわあああああああああ、ふき飛ばされる。

スピード、スピード、スピードを出さなきゃ！

スピードぉおおおおおお！

こんなこわい思い、今までしたことがないよ。恐怖心《きょうふしん》がマックスに達したとき――

もう、こぐしかない！　と坂道は猛然《もうぜん》とペダルを回した。

するとなんということか、気がつくと鳴子の赤いロードレーサーを追いぬいていたのだ！

ブワ——

鳴子は目をまるくした。

「なんじゃ、あいつ！　信じられん。アホみたいなケイデンス（回転数）の持ち主やん。百回転？　いや、二百回転はいってるかも!!?　おもろいやっちゃ、おまえ、マジでおもろいで。これなら黄色い車に追いつける！　あいつらに思い知らせられるで！」

鳴子はうれしくなり、思わず大声でさけんだ。

「もしかしたら、こいつはものすごい自転車乗りかもしれない。一体、どんな脚《あし》を持ってるんだろうか。ワイもがんばらにゃあ。鳴子章吉《なるこしょうきち》、ワイも〝なにわのスピードマン〟とよばれた男。本領発揮《ほんりょうはっき》や！」

闘争心《とうそうしん》に火がついた鳴子は、気合いを入れた。そして、渾身《こんしん》の力をこめ、ペダルを深くふみこんだ。と、そのとき、うしろからつらそうな声が聞こえた。

「待ってーーー、これ以上は無理ですーー」

ふり返ると、そこには今にもたおれそうな坂道がいた。

それを見た鳴子は反省《はんせい》した。

そうだ、坂道が乗っているのはロードレーサーではなく、ふつうのママチャリだった。ついつい本気モードになってしまった。ママチャリでは、これ以上、スピードはどうやっても上がらない。たとえ、坂道の強力なハイケイデンスの脚力《きゃくりょく》をもってしても、すでに限《げん》界《かい》速度まで達しているのだ。せっかくいいところだったのに残念だ。

もし坂道の自転車がロードレーサーだったら、前ギアを大口径《だいこうけい》のアウター（外側《そとがわ》）にして、坂道のアホみたいなケイデンス（回転数）で一気に加速できたのに！　と鳴子はくちびるをかんでざんねんがった。

でも、ぐずぐずはしていられない。あの車はどんどん遠くに行ってしまう。もしかしたら、坂道をここで切りすてて、自分一人で追いかけたほうがいいのではないか？　いや、タバコのすいがらは坂道から返させたい。バカにされたのは、坂道の自転車だ。だから、坂道が追いかけなければ意味がない、と鳴子は思った。

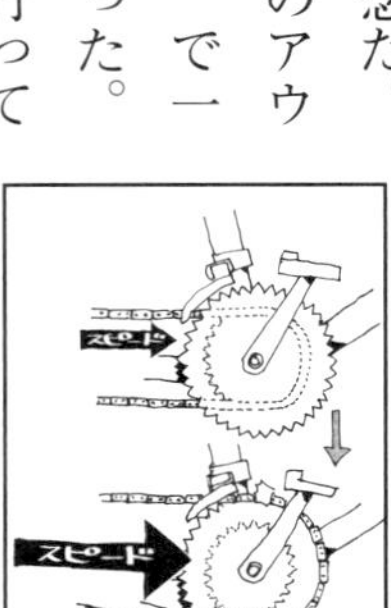

しかし、その坂道は息がはぁはぁとあらくなって、かなりつらそうだ。

どうしようかと判断《はんだん》にまよっているとき、鳴子は自分の目を疑《うたが》った。

「おいっ！　まて、おまえ。その前についてるのは、なんや？」

坂道のママチャリを指して言った。

「あ？　あー、これですね。つけてもらったんです、寒咲《かんざき》さんに。いざというときに使えって」

「ディレーラー（変速機《へんそくき》）やないかーーーーーーい!!!」

ミキからのプレゼント

「うーん。いい天気！」

寒咲幹《みき》は春の気持ちいい日差しをあびながら、大きくのびをした。

きょうは日曜日《にちようび》。休みの日はいつも、家業《かぎょう》の「サイクルショップ・カンザキ」

を手伝っている。店名のロゴが入ったエプロンがよくにあう。

店先には自転車を買いにきた小学生と母親が来ていて、ミキの兄が相手をしている。

そこに今泉俊輔《いまいずみしゅんすけ》がロードレーサーをおしながらやってきた。

「おす」

「あーー、今泉くん。いらっしゃいませー」

「聞いたぜ、こないだ小野田がこの店に来たらしいな」

「そうなのよ。情報《じょうほう》、早いわね」

今泉は、このあたりではよく知られた、将来《しょうらい》を有望視《ゆうぼうし》された自転車選手。そして、ミキは自転車屋のむすめ。だから小さいころから、なにかと接点《せってん》が多く、このあたりの、ほとんどの自転車屋の自転車情報を共有していた。

その二人に最近、ちょっと気になる存在《そんざい》になってきたのが坂道だ。すい星のように現れたざん新な自転車ライダー……。

「小野田はなんでこの店にきたの？」

「あの勝負のあと、ギアのあたりから変な音がするって言ってたから、見てあげたのよ」

ミキは女子高生といえど、自転車を点検《てんけん》したり調整《ちょうせい》したりするうでをもっている。小さいころから父や兄の仕事を目にしているうちにおぼえてしまったのだ。

「で、ついでにつけてあげたのよ。あとあと必要になると思って」

「なにをつけてあげたって？」

「ふふふ。第二のギアよ。

これで平《へい》たんな道をこぐのが楽になるわ」

「あのママチャリに、たのまれもしないのに
フロントディレーラーをつけたのか？

コンタンがまる見えだっつーの」

今泉はちょっとあきれて言った。

ミキのこんたんとは、なんとかして坂道を自転車の世界によびこもう、ということだ。

今泉にはお見通《みとお》しだった。

「ただ、平《へい》たんな道はどうだろうな。うまく走れるのか？　この間の激坂《げきざか》はうまく登っていたが、平たんには〝かべ〟があるからな」

「そっか。そこまで考えなかった……、風よね!!」

サイクリングに行って、行きはスピードが出て、調子がいいと思っていたら、実は追い風だったからで、帰りは向かい風で全然、進まなかった経験があると思う。自転車はそれくらい風に左右されるのだ。

「もし、風のかべにぶちあたったら、ちゃんとトレーニングをしていないやつにはこたえるだろうな。あいつはアウターギアの初心者だしな」と今泉が話すと、「〝かべ〟かあ。じゃ、もし二人だったら、どうなるの？」と、ミキは二人を表すように指を二本、Ｖサインのように立てた。

「まあ、二人いれば、なんとかなるかなあ」
「小野田くん、きょうもアキバに行っているのかしら」
ミキは小野田が自転車をこいでいるすがたを想像《そうぞう》した。

坂道、はじめてのギアチェンジ

ママチャリに取りつけられているのは、ロードレーサー用の二枚ギアだった。

鳴子としたことが、坂道の常人《じょうじん》ばなれした回転数ばかりに気を取られていて、とんでもないものがついていることに、気づかなかったのだ。

だれがこれをつけたのか？

小さいギアでもブレのない、よどみないハイケイデンス（高回転数）をもつ坂道が、この高速用フロント大ギアを使ったら、どうなるのか。

きっと坂道の持つ力を見てみたいと思った、だれかがやったにちがいない。

「カッカッカ、それをつけたヤツは相当なタヌキやな！」

鳴子は坂道に声をかけた。
「え、ちがうよ、寒咲《かんざき》さんはとても親切ですてきな人だよ。スラッとしてて、タヌキじゃないよ」
「そいつが、おまえをロードレースの世界に引きこみたい、と思っているニオイがプンプンしてるで」

「え？」

「ほんまほんま。それしかあらへん」

「寒咲さんがボクにロードレースをすすめるって？　いやいやいやいや！　ムリだよ、ムリ。すすめられてもムリ。だってボクは、体育はいつもD評価《ひょうか》なんだよ」

坂道は、ムリムリと片手を顔の前で大きくふった。

「体育がD？　そんなんに関係なく、速くなるのが自転車やで。まあええ、とにかく、今は、あのデカッ羽根《ぱね》に追いつくで!!」

「う、うん」

「いいか、ギアチェンジして、フル加速や!!!」

「ギアチェンジ……、えっと、どうやってギアチェンジするんだっけ?」

――「ギアのシフトはここにつけておいたからね。これはわたしからのプレゼントよ」

坂道は「サイクルショップ・カンザキ」でミキにそう言われたけれど、生まれて初めての女子からのプレゼントにまい上がってしまい、使い方なんてすっかりわすれてしまった。

左手《ひだりて》や!
え
左手《ひだりて》まわりにあるはずや

鳴子の声が飛んできた。

「左手のあたりにあるはずや、ギアが」

坂道は前方を気にしながら、ギアを探《さが》した。

「あ、あった!! 数字の書いてあるこれ?」

「そうや。ええか、左手は前変速機《まえへんそくき》(フロントディレーラー)、右手は後変《こうへん》速機(リアディレーラー)。この法則《ほうそく》は、世界標準《ひょうじゅん》なんや!」

「そうなのか。わかった!」

「思いっきり回せ、大歯車(アウター)やー!!」

「変速《へんそく》！」
坂道はダイヤルを前に回した。
バチン
キリッ、キリッ
グィーーン、カシュン、ギャリ、ドゥアアアア、シャキーン!!

「おお、変わったーーー!!」
「よし、変速成功《せいこう》や！」

そのとたんに、坂道の太ももにズンと重みがきた。
なんだ、この太ももにくる重い感触《かんしょく》。
ぐぐぐぐ、重い!!
急にペダルが重くなった。
これが「外側《そとがわ》のギア」の正体《しょうたい》か！

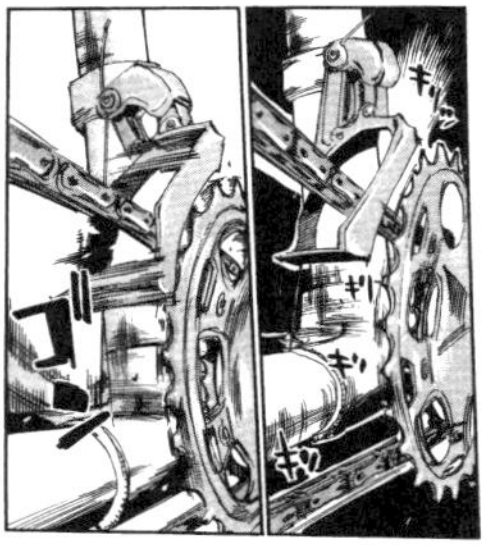

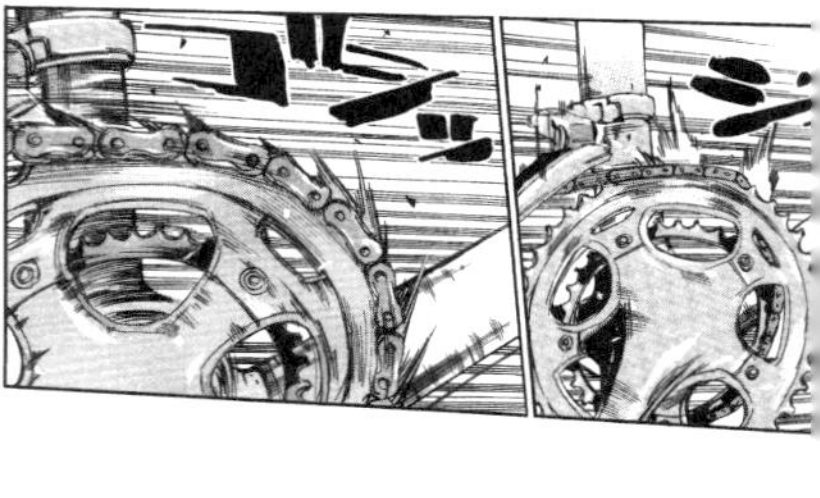

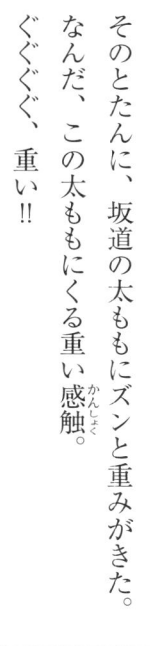

重い。
けれど、速い！

ジャアァァァァァァァァ――

重くなったペダルに負けないように、と坂道はぐっと体重をのせてふみこんだ。

ケイデンスは落とさない。小ギアから大ギアに変速した分、坂道の足の力は、ギア比の分だけ増幅《ぞうふく》して後輪《こうりん》に伝わる。

坂道のママチャリは、みるみる速度を上げた。


「おまえ、ほんまにおもろいやっちゃ。前ギアが変わって、相当に重いはずやのに、ふみ負けてないで」

鳴子が感心するくらい、はじめての大ギアは力を発揮《はっき》していた。

坂道は今まで味わったことのない感覚《かんかく》におどろいていた。

一《ひと》ふみ一ふみが、グッ、グッと自転車を前に進める感じだ。
風景《ふうけい》が、今までの倍の速度でうしろにふっ飛ぶ！
風が、なみだが、どんどんうしろに飛んでいく。
本当にボクがこいで、このスピードを出しているのか？
これが自転車というものなのか……!!

向こうに見える信号が赤になったとき、鳴子が言った。
「しめた！　黄色のあいつ、橋の向こうの赤信号でとまっとるわ。
よし、一気につめるで！　大野田くん」
ジャアアアアア〜〜――――!!!
鳴子のマシンが行く。
ジャアアアアア〜〜――――!!!
ぴったりとついて坂道のマシンが行く。

坂道が、鳴子に向かって話しかけた。
「ボク、大野田じゃないです。小野田です」
「カッカッカッカ！　すまんな、小野田くん!!
今、ちゃんとキミの名前、覚えたで。もうわすれへんで」
また、自分の言いたいことを言えた。
きょう、二度目だ、と坂道はとても気分がよかった。
そして、鳴子にこう言いたかった。

鳴子くん、体育が苦手なボクでも、速くなれますか？
かけっこが苦手でいつもビリだったボクでも、速くなれますか？
自転車に乗れますか？
こんな感じなら、どこまでも行ける気がする！　と。

あの黄色の車はすぐそこだ。

かべをやぶれ！

大きな橋が見えてきた。

鳴子が真剣《しんけん》な表情《ひょうじょう》になった。

「小野田くん、よう聞けよ。この先はかべや」

「え、かべ？」

「自転車乗りの天敵《てんてき》、〝風圧《ふうあつ》〟のことや。これと戦わな、あかんぞ」

秋葉原の街《まち》は、たくさんのビルに風がさえぎられて無風《むふう》状態になっているから、スイスイとこいで来られたが、川をわたる橋の上はちがう。

風をさえぎってくれるものがないから、自転車をおし返すように風がふいて、ペダルをふんでもふんでも、なかなか前に進めないのだ。

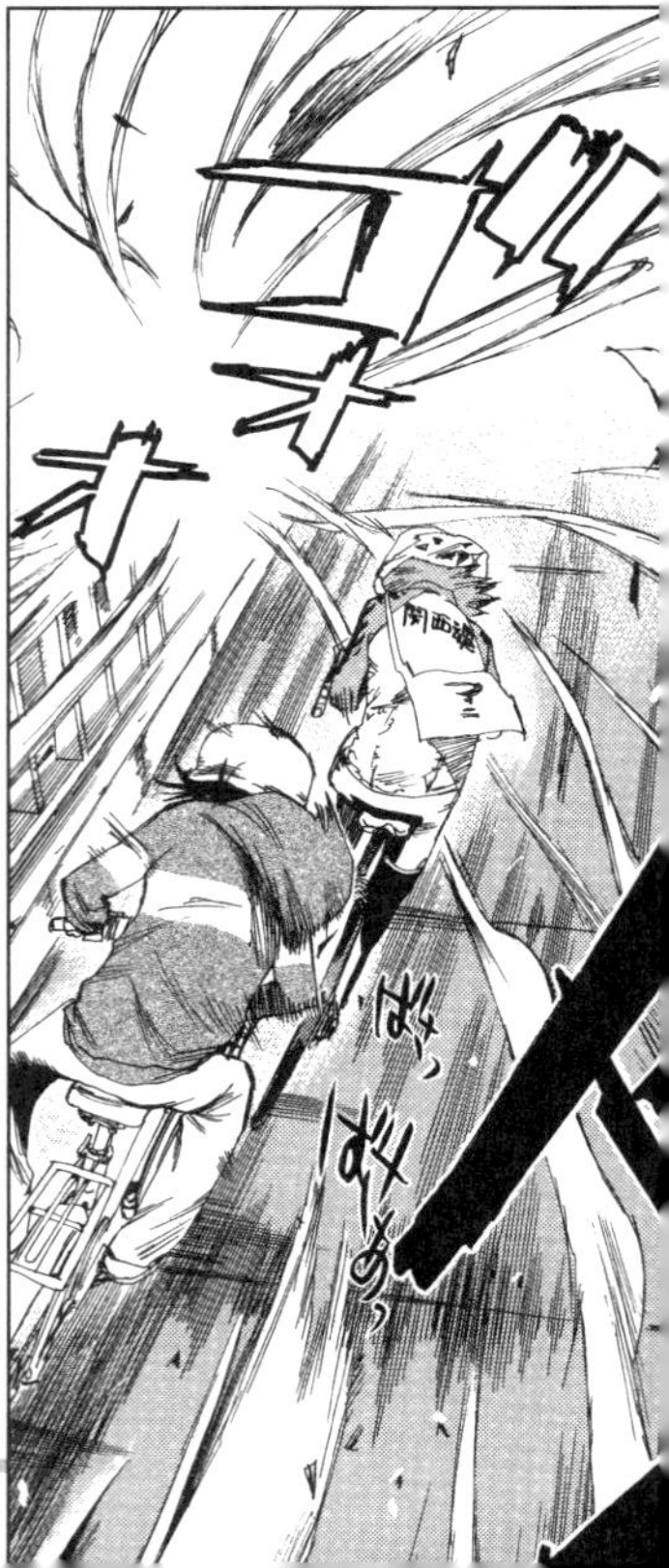

橋にさしかかった。

「うわあああああ。前に進まない！」

橋をぬける風に自転車がおし返されて、スピードが出ない！

まるでかべにぶつかりながらこいでいるようで、前に進めない。

「ペダルが石のように重いよ！」

坂道はあわてた。

立ちはだかるかべを前に鳴子が、こう提案《ていあん》した。

「しゃあないな。こういうときは、おくの手を使うしかあらへんわ！」

「おくの手？」

「心配するな。なにわのスピードマンは風とも友だちやねん。ワイのうしろにピッタリついてこい。一気に引っぱる!!」

坂道にはなんのことだか、わからない。

「引っぱるって、なにを？　自転車をひもで結ぶの？　それとも手をつなぐの？　それは危ないよ」

鳴子はそれを聞いてニヤリと笑った。

「ワイは、なにわじゃ負けなしのスプリンターや。この強風の中でもある程度《ていど》のスピードまでは上げられるねん。ワイを信じて、タイヤとタイヤがくっつくくらいに近づけろ！」

「あ！　そっか、今どきの新しい自転車には自転車と自転車をつなぐ連結器《れんけつき》がついているのか。すごいね、値段《ねだん》の高い自転車は」

「おまえ、なにかすごいカン違いしとるやろ！　ちゃうわ。今からやるのは、ロードレース界でいうところの〝カタマリ〟、〝集団《しゅうだん》〟ってやつや。先頭のやつが風の幕《まく》を作って、スピードを維持《いじ》する作戦や。列車みたいなやつや。二台じゃ、ちょっと少ないけど、理屈《りくつ》は同じじゃ」

坂道は理解《りかい》できず、目をまるくするばかりだったが……それでも鳴子の言葉を信じ、覚悟《かくご》を決めた。

「わかった。追いつくためには、それをやるしかないんだね!!」

ビュオオォォォォォォォォォォ〜〜〜〜〜〜

ジャカジャカジャカジャカ

坂道ははげしい風の帯《おび》の中、ママチャリの前輪《ぜんりん》を、鳴子の赤いロードレーサーの後輪《こうりん》に近づけていく。

その差《さ》が一メートル、五十センチ、三十センチとちぢむ。

坂道はこわくなった。

「うあああ、くっついちゃうよ」

すると、鳴子の声が飛んだ。

「もっと！　もっとや！　もっと近づけ！」

「えええ？　ぶつかっちゃいますよー」

「ええから、接近《せっきん》せえ！」

ジャカジャカジャカジャカ、ジャカジャカジャカジャカ

あと一センチだ！

ぶつかる――――!!

そのときだった。

坂道はふわっとまゆに包まれたような感じがした。自分のまわりだけ、風がやんで、ペダルが軽くなったのだ。まるで前に引っぱられているみたいに進める。

「どや？　これが自転車列車や。ワイが風をあびているうしろには、無風状態《むふうじょうたい》のスポットができて、おまえはそこに入ったというわけや」

坂道が感心していると、鳴子は一気にまくし立てた。
「連結完了《れんけつかんりょう》！　心配するな。ワイはすぐには失速《しっそく》せん。しばらくこのまま走って、おまえをあの車のところまで引っぱる。おまえは今のうちに、力を温存《おんぞん》しておけ。ワイが合図《あいず》を出したら、一気に前に出て、このすいがらを、あのパンチパーマにたたき返すんや！」
そして、鳴子が念《ねん》をおすように言った。
「ギアはアウター、フル加速《かそく》や。最後のアタックや。チャンスをのがすなよ!!」

「はい。す、すごい。協力することで、風にも勝てるんだ。自転車ってすごい……」

「わかったか。説明《せつめい》は以上や。行くで、小野田くん。なにわできたえた最速スプリント、スピードマン鳴子の最速超特急《さいそくちょうとっきゅう》や！　これに乗っていけ！」

そう言うと、鳴子はより深く前傾姿勢《ぜんけいしせい》を取れる下ハンドルに持ちかえ、首をあげて、前を見すえると大きくペダルをふんだ。

「自転車は二人おったら、協力してもっと速くなれるんやで！」

「うん！」

ジャアアアアアアア――――ッ
先頭車両は赤いロードレーサー、つづく二両目は銀のママチャリ。前後に連結した二台のマシンが速度をあげ、黄色い車に向かって、どんどん近づいていく。
まるで獲物《えもの》をねらう野生動物のようだ。
「なかなかやりよるわ、小野田くん。ワイが教えたらすぐについてきよる。見所《みどころ》がありすぎる！」

鳴子はうしろにぴったりついた坂道との即席《そくせき》コンビの走りを楽しんでいた。
そして、こんな解説《かいせつ》を始めた。

「あんなぁ、自転車乗りにはな、二種類《しゅるい》あるんやで。生粋《きっすい》のクライマーと生粋のスプリンターや。クライマーは、坂の王者。バランスのとれた体つきで身軽な自転車さばきが売りや。登ったり下ったり、アップダウンをこぐのを得意としている。

ワイはスプリンター。太もものぶっとい筋肉《きんにく》と瞬発力《しゅんぱつりょく》でとにかくペダルを回す。命知らずのパワー野郎《やろう》。スプリンターは、平均速度四十～五十キロで、車もバイクもぶっちぎる。

ふふふ、速いのが一番や。なんたって目立てるからな!」

鳴子はさらにスピードを上げる。

坂道もぴったりとくっついて、スピードをあげる。まさに連結《れんけつ》した電車だ。

ハァ、ハァ、ハァ、ハァ、ハァ

鳴子くん、すごい。

どんどん上がるスピードに坂道は興奮《こうふん》をかくせない。

「お、おったで！」

ついに、二人は黄色い車を視界《しかい》にとらえた。

「いまや、そら行けーーーっ、たのむで小野田くん。どついたれー、あの車!!」

連結が切りはなされた。

坂道はペダルをグッとふみこんで、鳴子の赤いマシンを右からぬき、まるで二段《にだん》ロケットのようにうしろから飛び出した。

そして、あっという間に黄色い車に近づいた。

ママチャリが近づいてきたことに気がついたパンチパーマが思わず、さけんだ。

「な、なんだー、さっきの秋葉原のガキじゃねーか、いったいどうなってんだ?」

坂道が黄色い車の真横にならんだ。

こぎにこいで、回しに回した。

そして、とうとう追いぬいた！

「やったー、自動車を追いぬいたー。自転車はサイコーーだーーーー!!! 風が気持ちいいーーーー」

坂道はゴールテープを一等賞《いっとうしょう》で切ったかのように両手を広げた。

その左手には、すいがらの入ったビニールぶくろがしっかりとにぎられていた。

おまえ、アホちゃうか、すいがらをつっ返すのわすれとる!! まあええわ、わははは！
やっぱ、おもろいやつやで。予想《よそう》以上のものを見せてもろたで。こいつをロードレーサーに乗せたら、もっとおもろなるで。

鳴子の期待は高まった。

第三章　自転車競《きょう》技《ぎ》部《ぶ》入部

鳴子との再会

キーンコーンカーンコーン♪

お昼休みを告げるチャイムが鳴《な》ると、ぐうううううううううううう、

空腹《くうふく》で坂道のおなかが大きく鳴った。

秋葉原での自動車とのバトルの翌日《よくじつ》の月曜日。

きょうの坂道のおなかはやけに鳴る。

どうしちゃったんだろう、ボクのおなか。おなかがへってへってしかたがないよ、と心配になるほど、おなかがすくのだ。

坂道はべんとうを食べ始めるクラスメイトを横目に、教室を出た。

昨夜、家に帰ると、あまりの空腹《くうふく》にたいてあったごはんを全部食べてしまったから、今朝は「べんとうはなし」と母親に言われてしまった。だから、購買部《こうばいぶ》にパンを買いにいか

なければならないのだ。

きのう見たテレビの話をしている女子の間をぬって、ろうかを歩く坂道は、きのうの興《こう》奮《ふん》を思い出した。

鳴子くんといっしょに車を追いかけたバトル、あれは気持ちよかったな。なんというか、すごい充実感《じゅうじつかん》があった、と自分の手のひらを見ながら、自転車のハンドルの感触《かんしょく》を思い出していた。

おっと、また、グゥとおなかが鳴った。

「――いや、そんな思い出にひたっている場合じゃないんだ！　ボクは今から戦いに行かなきゃならないんだ。パンを買うのは命がけだからね！」

案《あん》の定《じょう》、購買部はすごい人だかりだ。

「おばちゃん、ジャムパン！」

「いてぇ、おすな！」

「はい、ちゃんとならんで買って」

「カレーパン、とったど――」

そこにつっこんでいったが、あっけなくはじき飛ばされた。

「はい、トンカツパンは売り切れ！」

「焼きそばパン、売り切れです」

「メロンパーン、最後の一個！」

坂道がねらったパンが、ことごとく目の前でかっさらわれていった。

「だ、だれだよぅ。さっきから同じ手がパンをもっていくぞ……。なんてよくばりなんだ。あの人、よくばりだ！」

声には出せず、パンを大量に買いしめて、お金をはらっている人のせなかをうらめしそうに見ていると、どこかで聞いた声が聞こえてきた。

「あ――、自転車乗りは腹減《はらへ》るねん」

あまりの数の多さに「何人分？」と問いかけた購買部《こうばいぶ》のおばちゃんの質問《しつもん》に答えた声は、なんと……、

「あっ、鳴子《なるこ》くん！」

「カッカッカッ。こんな偶然《ぐうぜん》もあるんやな。家の方向がいっしょやと思うたら、同じ高校やったんか」

なんと、きのう、いっしょに自転車を走らせた鳴子がここにいた。同じ高校だったのだ。

ここでも赤い髪《かみ》の毛が目立つ。かれの手には、トンカツパンや焼きそばパン、メロンパンなど、たくさんのパンがつまった紙ぶくろがあった。

ひとつも買えなかった坂道に鳴子が気がついた。

「パン、とりそこねたん？　ぼんやりしとるからやで。しゃあないから、これくれたるわ。はい、アンパン」

「ありがとう」

二人は、植《う》えこみの前にあるベンチにこしをおろした。

坂道はアンパンをほおばりながら、鳴子くんと同じ学校だったなんてうれしいし、心強いなあ、とうれしくなった。

「この学校はな、自転車競《きょう》技《ぎ》部《ぶ》があるからな。それで選んだんや」

もりもりとパンをほおばり、牛乳で流しこみながら鳴子は言った。

自転車……部⁉　そういえば、今泉くんもそんなことを言っていた、と坂道は、一瞬《いっしゅん》、今泉のクールな顔を思いうかべた。

「それに、この学校は女子もギョーサンおるしな。ほら、あの子、かわいいやん」

鳴子が前を歩いていた女子に目を向けると、目があったその女子は、「やだ、赤アタマがこっち見た！」とビクッとして顔をそむけた。

「ほんまはな、ワイの学力やったらもっと上の高校をねらえたんやけどな、カッカッカッ」

鳴子の話はどこまで本当かわからない。

「部活は決めたんか？」

「いや、ボクは。アニ研を……、復活《ふっかつ》させ……」

「ワイは明日からや！」

そう言いながら、鳴子はポケットから一枚《まい》の紙を取り出した。

それは、自転車競技部《きょうぎぶ》への入部届《とどけ》だった。鳴子章吉《しょうきち》と書かれた名前の

横に「鳴子」の印かんが押してあった。

「明日から、自転車競技部に入部すんねん。きょうは仏滅《ぶつめつ》やんか。明日は大安《たいあん》やからな。何事も縁起《えんぎ》がええのが大事や」

鳴子はみょうなところに、ちょいちょいこだわりを見せる。

「いやいや、ほんまはすぐに入りたかってんけどな。四月は引っこしでバタついとったし、最後に関西のレースにも出たからな。ま、一日で終わるクラス別の大したことないレースやけどな」

鳴子は関西のレースで活躍《かつやく》した話をした。

「鳴子くん、レースに出たんだ」

「そうや。ワイがおらな、もり上がらへんやん。〝なにわのスピードマン〟がおらな、レースに華《はな》がない、と言われてな。そんなん言われたら出なしゃーないやろ」

「レース……」

坂道はどうしてかわからないが、レースという言葉にドキドキした。

「そや、レースや。海ぞいの国道を走って、いくつもの山をこえるねん。ふつうの人が見

たら、ありえなーい、いうスピードで走る。こんなとこ登んの絶対に無理やろという坂を自転車で登る。走りながらメシを食い、飲み物をとる。まわりの相手を見ながら、自分のコンディションも管理して調整《ちょうせい》するんや」

　鳴子は手を横にしたり、ななめに動かしたりして、坂道にコースを説明してくれる。

「そんでゴールが近づいて、ここや！　と思たら、アタックや。全力で走る！」

　鳴子はボクサーのようにパンチをくり出した。

　全力という言葉に、坂道は昨日、自動車を追いつめたときのことが頭によぎった。

「このアタックがやな、早すぎるとダメや。相手にぬかれる。体力が残ってない状態《じょうたい》でやっても失速《しっそく》する。ギリギリんところまで脚《あし》をためて、ギリギリんところまでがまんして、見きわめて、かけ引きして、最高のタイミングで飛び出せば……」

「飛び出せば？」

「優勝《ゆうしょう》や」

坂道はぞわっとした。

「今までのすべてがむくわれる瞬間《しゅんかん》なんやで。もう、そこいらのおねえちゃんにチューしてもらっても得られへんくらい……の快感《かいかん》や。ごっっっっっっつい充実感《じゅうじつかん》や」

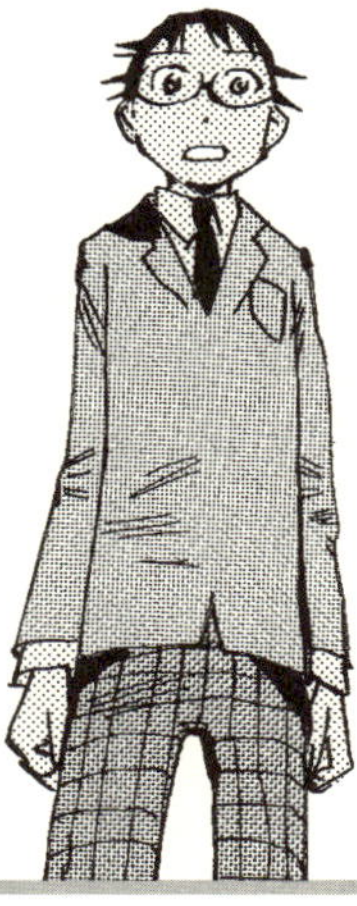

充実感って、もしかして、きのう感じたヤツ……、あの気持ちのことかな……。

坂道は、鳴子の話にひきこまれていた。

「ゆーてもまあ、終わったらぶったおれるねんけどな。体力を使いはたして。それくらいカロリーを使う。せやから腹《はら》がへんねん。世界広しといえども、自転車競《きょう》技《ぎ》だけやろな、試合の最中にメシを食うのは」

昨日からずっとおなかがすいているのは、やっぱり自転車のせいだったのか、と坂道は、ひとつ腑《ふ》に落ちた。

鳴子は続けて、こう言った。

「自転車は根本的《こんぽんてき》にほかのスポーツとは違うからな。小野田くんもロードレーサーに乗れや。おまえ、向いとるで」

「え⁉」

スポーツに向いているなんて言われたことのない坂道は、おどろいて鳴子の顔を見た。

するとそこに、向こうからサッカーボールが飛んできて、坂道の顔を直撃《ちょくげき》した。

ぎゃふーっ！

考えごとをしている最中《さいちゅう》で、ボールをさけることができない坂道。

「おーい、ごめんごめん、ボールをとってくれよ――」

「……自転車に向いている、そう言ってくれる人がいるんだったらやってみようかな」

坂道はそう考えながら、サッカーボールをけり返そうとしたが、けりそこねて、スッテンコロリンとうしろにひっくり返った。

こんな運動神経《しんけい》だから、やっぱ運動なんて無理だ、ぜったい無理、と坂道はかたをがっくり落とした。

総北《そうほく》高校自転車競技《きょうぎ》部《ぶ》

その日の放課後。

坂道は、鳴子によび出されて裏門坂《うらもんざか》の入り口に来ていた。

「きょうの放課後、あいとるか？　おもしろいもの見に行こう」とさそわれたからだ。

ところが言い出しっぺの鳴子はまだ来ていない。

先に来ていて、「この先におもろい自転車屋、見つけたんや」とでも言うのかと思っていたのに、と坂道はかたすかしをくった気分だった。

このごろの坂道は、アニ研復活《ふっかつ》という大いなる夢《ゆめ》があったことをわすれそうになるときがあることに、自分でも気がついていた。

そのとき、ロードレーサーが走る音が遠くから聞こえてきた。

鳴子が来たのか、と坂道の顔が、ぱあっと明るくなったが、

その音はどうも鳴子の自転車の音じゃない。しかも一台ではないようだ。

シャ――

なんだかわからないけれど、大きな音がどんどんと近づいてくる。

シャ――

シャ――

なんだ？

うわあああああああああああああああああ。

六台のロードレーサーがひとかたまりになって、

坂道の目の前を通りすぎた。

大音量《だいおんりょう》とともに、ブワッと風圧《ふうあつ》がきて、髪《かみ》の毛がくしゃくしゃにみだれた。坂道はふっ飛びそうになった。

「すごい風、音。なんていう圧力《あつりょく》！」

シャ――――

一台、集団からおくれたマシンが通りすぎた。

その顔がちらっと見えて、坂道はおどろいた。

「あ、今泉くん」


そして、また、何事もなかったように静かになった。

「ってことは、いまのが、もしかして、総北《そうほく》高校自転車競技部《きょうぎぶ》なのか」

坂道は心臓《しんぞう》がばくばくして、体中がふるえた。

気がついたら、自分のママチャリのハンドルを、
指が白くなるほどギリギリと強くにぎりしめていた。

そこへ、どこからともなく鳴子が現《あらわ》れた。

「小野田くん、ええもん見たやろ。どやった、今のが自転車競技部《きょうぎぶ》や」

鳴子はえらくまじめな顔をしている。

「自転車はほかのスポーツとは根本的《こんぽんてき》にちがう。それは、体を支《ささ》えんでええということや。実は、野球もサッカーもバスケも、地面の上でやるすべてのスポーツは、自分の体重を支えるために、相当な体力を使うんや。ただ、支えるだけのために。ところが自転車はちがうねん。〝車体〟が支えてくれるんや。せやから、速く走る足も、ボールをける脚力《きゃくりょく》も、瞬発力《しゅんぱつりょく》さえもなくてええ。必要なんは、『ペダルを回す足』だけ」

空を見上げて語る鳴子《なるこ》が、坂道をふり向いて言った。

「ワイが言うてること、わかるか？」

「うん」

「おまえだからできる。そういうもんでもあるんやで」

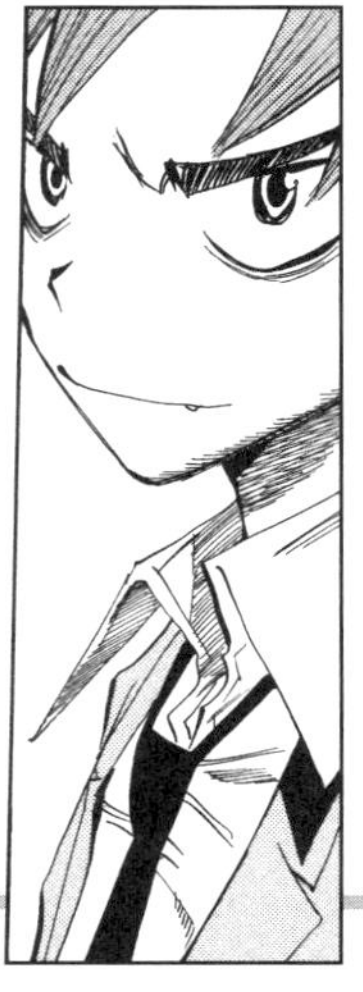

ボクに可能性《かのうせい》があるなら

翌日《よくじつ》。そう、鳴子が大安吉日《たいあんきちじつ》と言った日——。

一年四組の教室。

休み時間にもかかわらず、坂道は数学Ⅰの教科書を読んでいた……のではなく、その本の上に重ねてある、もう一冊《いっさつ》の本をいっしょうけんめい、読んでいたのだ。

本のタイトルは『ロードレーサーを始める』。

ビンディングの正しい付け方やクリートの位置、サドルの前後なんてことが書かれているが、坂道にはちんぷんかんぷんだ。

「サドルって前後に動くの？　わかんないなー。基本編《きほんへん》でこんなにわからない用語があるとはまいったなあ。あとで鳴子くんのところへ行って聞いてみよう」

そう思って、顔を上げると、本の向こうに鳴子の顔があった。

「おーす！」

「わあっ！」

坂道もおどろいたが、教室にいた女子たちがさわぎだした。

「だれ？　頭、赤っ！」

「あの人、六組の子？」

「この間、朝礼《ちょうれい》であの髪《かみ》、注意されてた人だよね」

「小野田くんと知り合いかしら」

そんな声にはかまわず、鳴子は坂道の目を見て言った。

「朝から二回もうんこが出たわ」

鳴子が大きな声で言うものだから、坂道はまわりがどう思うだろうとヒヤヒヤした。

「知らないよ、そんなこと言われても！」

「で、本題《ほんだい》や、小野田くんよ」

鳴子が、目をぎらりと見開いて、話し始めようとしたとき……、じゃまが入った。

「あれー、こんなところに自転車の本が落ちているよー」

さっきおどろいた拍子《ひょうし》に坂道が落っことした『ロードバイクを始める』をひろったのは、
つり目のキザ男だった。坂道と同じクラスの男子だ。

「ひょっとしてキミたちも、ロードレーサーに興味《きょうみ》があるのかなぁ――」

髪《かみ》をなでつけながら、キザ男は話にわりこんできた。

「あれはー、なんというかさー、独特《どくとく》の世界があるよねー、ウンウン。

ボクは始めて長いんだよねー。もう三年になるかなあ――」

みょうに語尾《ごび》をのばすくせがある。

「おーっと、ごめんごめん。初心者の人にいきなりむずかしい話をしても届《とど》かないかなー、うーん、むずかしいー。有名なんだよ、この学校の自転車競技部《きょうぎぶ》――ウンウン。キミたちも入ろうと思っている？」

一人よいしれる大演説《だいえんぜつ》にしびれを切らした鳴子が、小声で坂道に聞いた。

「なんやこいつ、だれやねん。知り合いか？」

「えーと、うん、同じクラスだとは思ったけれど、えーっと」

「おい、キミたち！　聞いているかい」

キザ男はオペラ歌手のように身ぶりたっぷりに話を続けた。なんだか大げさなやつだ。

「ロードレーサーはペダルをふんでいくと、新しい景色《けしき》があるんだよ。前傾姿勢《ぜんけいしせい》がきついけれどー、それにびびっちゃだめだ――」

うっとりしながら、しゃべっている。

「タイヤから感じるダイレクトなロードインフォメーション。一体化《いったいか》？　そう、ロードレースは自転車と一体になれるんだよ」

話し終わったとき、キザ男が前を見ると、もうだれもいなかった。

「あら？　どこ、行っちゃったんだ」

屋上《おくじょう》での決断《けつだん》

坂道と鳴子、二人はだれもいない校舎《こうしゃ》の屋上に移動していた。

「決めたんか？」

向きあった坂道に、鳴子はさぐるような表情《ひょうじょう》でたずねた。

春風がヒュウとふいて、鳴子の赤い髪《かみ》と坂道の黒い髪をゆらした。

「うん」

坂道がそう答えると、口を真一文字《まいちもんじ》に結んだ鳴子の目が強く光った。

「しかし、きょうはほんまにええ天気やのう。縁起《えんぎ》がええわー」

坂道はうれしさをかみしめていた。

アニ研の募集《ぼしゅう》はだれもこなかったけど、高校に入って、今泉くんと出会えて、寒咲《かんざき》さんに親切《しんせつ》にしてもらって、鳴子くんと出会って……いい人ばかりに出会っている気がする。そんな人たちとボクをつなげてくれたのは自転車だ。それだけじゃない。

「鳴子くん、あらためて言うよ。あ、ありがとう」

鳴子はちょっとてれたが、坂道は話を続けた。

「正直に言って、アニメ研究会に未練《みれん》がないわけじゃないんだ。でも、きのう、自転車競《きょう》技《ぎ》部《ぶ》の走りを見に行ったとき、なんていうか熱くなったんだ。追いかけたくなった……」

坂道は、屋上から、大きな街《まち》を見下ろしながら続きを言った。
「ためしてみたいと思ったんだ、ボクになにかの可能性《かのうせい》があるんだったら。だからボクは自転車競技部に、入るよ」
屋上の手すりの向こうには、川と田んぼ、国道、向こうの山がはっきりと見えた。
空は大きかった。

雲は白かった。

スカッとした景色《けしき》は、どこまでも広がっている。


「カッカッカ」

宣言《せんげん》する坂道のせなかを見ていた鳴子《なるこ》が、満足そうにわらった。

まるで自分が証人《しょうにん》かのように、その言葉をわすれまいとかみしめるように。

そして、年は同じだけれど、この道の先輩《せんぱい》として、ひとつアドバイスをした。

「やるなら本気。トコトンまでや！　ま、でもな、つらくなったらいつでもやめりゃあええ。止まるも、進むも、決めるのは自分。それが自転車や」

そのエールは坂道の心にゆっくりとしみわたっていった。

「――なあ――んだ！　こんなところにいたのか、お二人さん、ボクの話のさっきの続きなんだけどね！」

屋上《おくじょう》のとびらが開いて、さっきのキザ男が登場した。いいところなのに！

それから坂道と鳴子は入部《にゅうぶ》届《とどけ》を出すために、急いで自転車競技部《きょうぎぶ》の部室へ向かった。

入部

校舎《こうしゃ》のわきにある、自転車競技部の部室では、角刈《かくが》りでサングラスすがたの上級生が重々《おもおも》しい声を出していた。

その前には一年生が三人、ならんで立っていた。

「川田」「はい」

「桜井《さくらい》」「はい」

「今泉」「はい」

「今年の新入部員はこれだけか」

三人は直立不動《ちょくりつふどう》だ。

いつも自信満々《じしんまんまん》に見える今泉でさえ、緊張《きんちょう》をかくせない様子だ。

部室には、ほかにも先輩《せんぱい》がいた。

長い緑色《みどりいろ》の髪《かみ》の毛の細身《ほそみ》の男と、一見、相撲《すもう》取りかと思うようなガッチリ太ったエネルギーのかたまりみたいな目の細い男だ。

みんな少しニヤニヤしながらそのようすを見ていた。

この威圧感《いあつかん》のある先輩がオオカミなら、新入部員はか弱いひつじだ。

「金城《きんじょう》さん、すべりこみで、昼休みに入部希望者の届《とどけ》が……三名分」

サングラスに角刈《かくが》りの金城にほかの部員が告げたとき、バターンといきおいよくとびらが開いた。

「ちょい――――っス!!」

威勢《いせい》のいい声を出して、鳴子が入ってきた。

「関西境浜中出身《かんさいさかいはまちゅうしゅっしん》　鳴子章吉《なるこしょうきち》っす!!　目立っていきますんで、よ

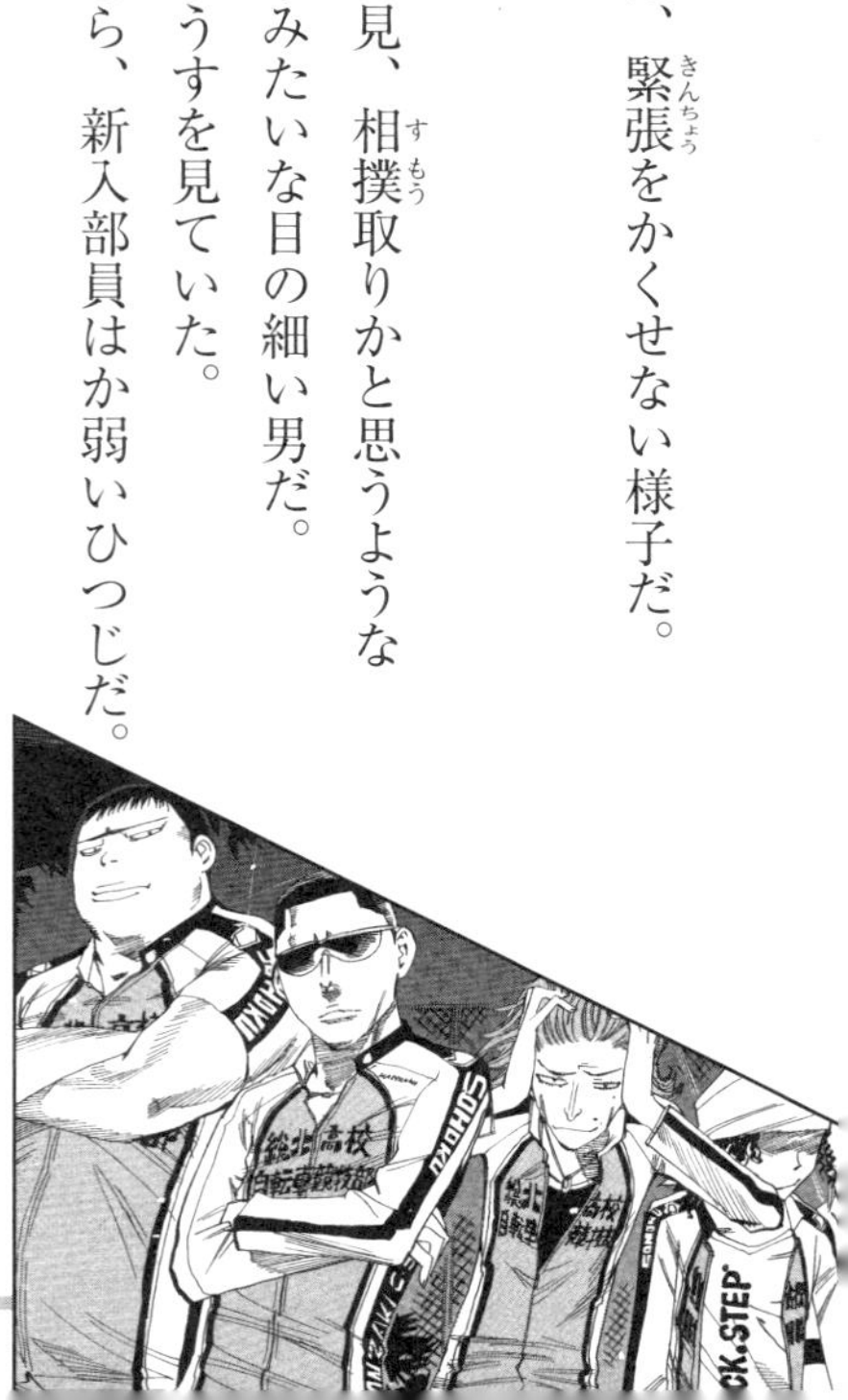

ろしゅうに!!」

先輩たちは鳴子の登場に、だれもおどろかない。

ベンチにこしかけていた角刈りサングラスの男が、ゆっくりと立ち上がって、鳴子に近づいた。

「鳴子か。関西の大学に行った先輩から、おまえのうわさは聞いている」

「おーきに！」

今泉が鳴子をチラッと見た。関西から脚《あし》が強いやつが入学することを聞いていたのだ。

今泉の視線《しせん》を感じた鳴子は、今泉を見返して言った。

「おまえが、小野田くんが言っていた今泉くんか」

「……そうだ」

二人の視線がぶつかってバチバチと火花を散らした。

百八十センチはありそうで、でかい。ほかの一年生とは格《かく》がちがうし、なにより目が本気だ、と鳴子が今泉を瞬時《しゅんじ》にキャッチすれば、今泉は鳴子の体格《たいかく》と体型《たいけい》を見て、スプリンターだろう、と見ぬいた。

その二人の間に入って、小さな声で「ボクもよろしくね……」と言ったのは、鳴子のうしろで目立たなく立っていた坂道だった。

「小野田！　おまえもか！」

今泉はおどろいた。

寒咲《かんざき》がいろいろとやったから、こうなることはある程度《ていど》予想《よそう》していたけれど、なにもきょうのきょう、この自転車競技部《きょうぎぶ》に入ってくるとは、こいつもついてないなあと、なぜか今泉は坂道に同情《どうじょう》した。

「あのう、ボク、杉元《すぎもと》も入部します。なんでも聞いて、経験者《けいけんしゃ》だから」

鳴子と坂道につきまとっていたキザ男もあいさつした。

今年の、総北《そうほく》高校自転車競技部《きょうぎぶ》の新入部員は六人になった。

「よーし、ならべ一年。オレが主将《しゅしょう》の金城《きんじょう》だ」

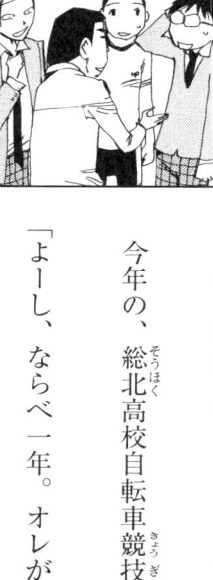

サングラスの男が名乗った。
部員をたばねる、総北高校自転車競技部主将・金城真護《しんご》。さすがに風《ふう》格《かく》がある。
「きょう、すべりこんできた三人には気《き》の毒《どく》だが、前から決まっていたことだ。準備《じゅんび》時間は四十分。すぐ準備をしろ。本日、これより開催《かいさい》する」

開催？　なにを開催？

新入生たちは、ざわめいた。

「一年生対抗《たいこう》ウエルカムレースだ」

こうして、この日、この小さな部室から、小野田坂道の「伝説の自転車人生」が幕《まく》を開けたのであった。

（続く）

C O L U M N

これでキミも自転車通《つう》!

001 自転車の種類《しゅるい》

スポーツ競走専用車《せんようしゃ》である「ロードレーサー」は「速く走ること」に特化している。そのためにムダな部品がなく、できるだけ軽くなるように作られている。一般的《いっぱんてき》に、軽いものほど値段《ねだん》が高くなる。女性《じょせい》でもかんたんに持ち上げられるほどだ。

ママチャリ(シティサイクル)

- ●重さ　：約15～20kg
- ●ギア　：なし(あっても3段くらい)
- ●タイヤ　：太い。空気圧《あつ》が低い
- ●荷物　：カゴや荷台につめる
- ●足つき　：地面に足がつく

どろよけ、カゴ、スタンドがついている

ロードレーサー

- 重さ　　：約8～9kg
　軽いものだと、6～7kg
　（最低重量は「6.8kg」と定められている）
- ギア　　：前後についていて、
　20段以上変えられる
- タイヤ　：細い。空気圧が高い
- 荷物　　：つめない（ドリンクホルダーのみ）
- 足つき　：片足《かたあし》がかろうじてつくくらい

どろよけ、カゴ、スタンドがついていない

1巻のキーワード KEYWORDS

▶サイクルコンピュータ

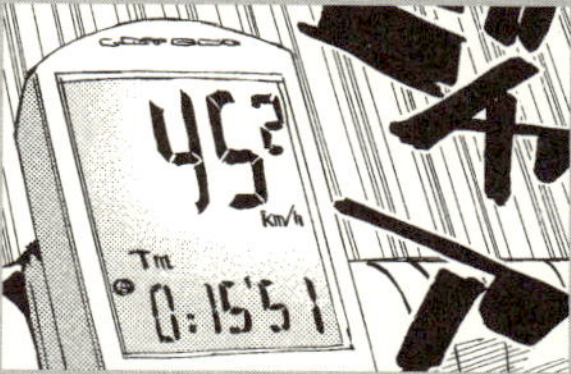

自転車に取り付け、速度などを計る。速度だけでなく、走行距離《きょり》、走行時間、ケイデンス、心拍数《しんぱくすう》、消費カロリーなどが測定できるものもある。

▶ケイデンス

一分間のペダルの回転数。一般車では50～60rpm（回転数）、ロードレーサーの場合は80～120rpm。ケイデンスを一定に保ったほうが体の負担《ふたん》が少ないと言われている。

[原作者]

渡辺 航（わたなべ　わたる）

漫画家。長崎県出身。MTBやロードバイクなど自転車をこよなく愛し、『弱虫ペダル』の連載を続けながら、多くのアマチュア自転車レースに参戦している。

[ノベライズ]

輔老 心（すけたけ　しん）

フリーランスライター。兵庫県出身。『スーパーパティシエ物語』『いやし犬まるこ』（いずれも岩崎書店）など著書多数。

AD　山田 武　　協力　渡邊まゆみ
編集協力　秋田書店

フォア文庫

小説《しょうせつ》 弱虫《よわむし》ペダル1

2019年10月31日　第1刷発行

原作者　渡辺 航
ノベライズ　輔老 心
発行者　岩崎弘明
編集　田辺三恵　元吉崇夫
発行所　株式会社 岩崎書店
〒112-0005 東京都文京区水道1-9-2
電話　03-3812-9131（営業）　03-3813-5526（編集）
00170-5-96822（振替）
印刷・製本所　三美印刷株式会社

ISBN978-4-265-06571-4　NDC913　173×113

Published by IWASAKI Publishing Co.,Ltd.
Printed in Japan

岩崎書店ホームページ　http://www.iwasakishoten.co.jp
ご意見をお寄せください　info@iwasakishoten.co.jp
乱丁本・落丁本はお取り替えします.